Coordinador de la colección: Daniel Goldin
Diseño: Joaquín Sierra, sobre una maqueta
original de Juan Arroyo
Diseño de portada: Joaquín Sierra
Dirección artística: Mauricio Gómez Morín

A la orilla del viento...

Sistema de clasificación decimal Melvil Dewey DGMyME

823
K43
2001   Keaney, Brian
            Los muchachos no escriben historias de amor / Brian Keaney;
            il. de Carmen Cardemil; trad. Joaquín Diez-Canedo F. –
            México: SEP: FCE, 2001.
            200 p.: il. – (Libros del Rincón)

            ISBN: 970-18-7252-5 SEP

            1. Literatura inglesa. 2. Novela. I. Cardemil, Carmen, il. II. Diez-
            Canedo F., Joaquín, tr. III. t. IV. Ser.

Primera edición en inglés, 1983
Primera edición en español FCE, 1997
Primera edición SEP / FCE, 2001

Para Kathleen

Título original *Boys don't Write Love Stories*

© Brian Keaney, 1983
    Publicado por Oxford University Press, Oxford
    ISBN 0-19-271703-0

D.R. © FONDO DE CULTURA ECONÓMICA, 1997
        Carr. Picacho Ajusco 227; México, 14200, D.F.

D.R. © Secretaría de Educación Pública, 2001
        Argentina 28, Centro,
        06020, México, D.F.

ISBN 968-16-6596-5 FCE
ISBN 970-18-7252-5 SEP

Se prohíbe la reproducción parcial o total de esta
obra —por cualquier medio— sin la anuencia por
escrito del titular de los derechos correspondientes.

Impreso en México

BRIAN KEANEY

ilustraciones de
Carmen Cardemil

traducción de
Joaquín Diez-Canedo F.

Los muchachos no escriben historias de amor

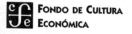

Libros del Rincón

Capítulo 1

❖ HAY UNA FOTOGRAFÍA, en uno de nuestros álbumes, de cuando yo tenía cuatro años. En ella se ve a un chiquillo, un poco bobalicón, parado a las puertas de la escuela con una sonrisa de oreja a oreja. Al pie de la foto dice: "Primer día de clases de Mateo".

—¿Cómo puedo estar sonriendo? —pregunté alguna vez a mi mamá.

—Porque estabas muy emocionado de ir a la escuela —repuso.

—¿En serio?

—Desde luego que sí. Te encantaba.

—¿Qué?

—Cada mañana te adelantabas corriendo cuando llegábamos.

¿A poco no son bobos los pequeños?

La escuela sirve solamente para mantener a los niños ocupados. Leí una vez que en la Edad Media, antes de que se inventara la escuela, los niños se la pasaban alborotando. Entonces, un buen día, algún sabelotodo dijo: "Oigan, se me acaba de ocurrir una gran idea para deshacernos de estos niños. Se me hace que la voy a llamar escuela".

Los lunes por la mañana, por ahí de las ocho, solía acordarme de este sabelotodo y pensar en cómo me gustaría vengarme de él. Esta mañana en particular no era la excepción.

—Mamá —grité a mi madre, que estaba abajo—. ¿Dónde están las camisas blancas limpias?

—No sé —gritó ella a su vez—. ¿Qué tal si las buscas?

Cuando mi amigo *Berna* tenía como diez años, sacó no sé de dónde un video titulado *Los zombis invaden la ciudad*. Cada vez que lo veía el susto lo dejaba alelado. Se trataba de un montón de muertos que salen de sus tumbas para irse a la ciudad a trabajar como si estuviesen vivos.

Así es como se ve mi familia por las mañanas. Todos nosotros. La peor es Raquel. Sus ojeras son inmensas. Su problema es que odia tener que irse a dormir por la noche. Mamá dice que siempre ha sido así, desde bebé. Yo antes pensaba que lo hacía a propósito, pero cada vez me parezco más a ella. Sencillamente no logro dormir. Me quedo acostado, dando vueltas, pensando en cosas. Después de horas y horas consigo por fin conciliar el sueño, y de pronto ya es de día.

En la escuela usamos uniforme. Tenemos que ponernos ropa azul y camisas blancas. No sé por qué. La directora, la señora Aske, argumenta que la escuela tiene un alto nivel de exigencia. A mí no me parece que eso tenga ningún sentido. ¿Alto nivel de exigencia de qué? ¿De azulidad y blancura?

Empecé a sacar la ropa de mi clóset. No había allí ninguna camisa blanca. Junté la ropa en un montón y la metí de nuevo, cerrando rápidamente la puerta antes de que volviera a desparramarse.

—*Ma* —grité—. No las encuentro.

—¿Qué es lo que no encuentras? —preguntó, mientras subía hasta mitad de la escalera.

—Las camisas blancas —contesté.

—Entonces deben estar entre la ropa sucia —concluyó.

—¿Y qué voy a ponerme?

—No lo sé —repuso con impaciencia—. ¿No puedes ponerte la misma de ayer?

—Está asquerosa —le informé.

—Pues yo no puedo remediarlo, ¿o sí?

—¿Me escribes un recado?

—Si tengo tiempo.

En nuestro libro de alemán hay una lección sobre una familia alemana. Se llaman los Bullitas. Hay una foto de todos ellos sentados alrededor de la mesa desayunando, a las siete y media, y enseguida te dice en alemán lo que están comiendo. Toneladas de cosas: carnes frías, pan tostado, café.

Pienso si también ocurrirá lo mismo en otras casas. En la mía no. No hay nada que pueda llamarse un desayuno. Antes de que yo despierte, mi padre ya se ha marchado. Mi mamá, se diría que no come absolutamente nada. Raquel deambula por la casa a medio vestir, comiéndose un tazón de cereal. Yo bajo y tomo una manzana.

Todo esto no me ayudaba en nada. ¿Cómo iba a conseguir una camisa para la escuela? Decidí que tendría que ponerme la azul. Es igual que la de la escuela pero de diferente color.

—Tengo que irme —dijo mamá cuando bajé. Estaba arreglada para su trabajo—. Hoy vamos a comenzar más temprano. Podrán arreglárselas, ¿verdad?

—Sí, *ma*.

—Van a salir de la casa a tiempo, ¿verdad?

—Sí, *ma*.

—Prométemelo.

—Sí, *ma*.

—Raquel —gritó para que la oyera arriba.

Raquel respondió con un gruñido.

—Ya me voy. Asegúrate de que ambos salgan a tiempo para llegar a la escuela.

Raquel gruñó de nuevo.

—Te lo encargo, ¿sí?

Raquel gruñó por tercera vez.

Mi madre me dio un beso en la frente y se apresuró a la puerta.

—¿Y mi recado? —le grité.

—Te lo hago mañana —dijo, cerrando de golpe la puerta tras ella.

Si yo fuera un adulto, no me pasaría siquiera por la cabeza dejar a Raquel encargada de algo. Tiene dieciséis años, así que debiera ser responsable; pero no lo es. Es muy rara. Luego de levantarse, pasa horas sin dirigirle la palabra a nadie. Se limita a deambular, cantando para sí canciones de moda. Siempre la misma melodía, una especie de zumbido de cuando mucho tres notas.

Si entrara por la ventana un hombre con un antifaz negro y un suéter rayado y comenzara a meter todo dentro de un saco donde dijera "botín", ni siquiera se daría cuenta. Seguiría cantándose en voz baja. Aun si éste le preguntara dónde guardábamos el dinero, probablemente se limitaría a contestarle con un gruñido.

Me comí la manzana y metí mis cosas en la mochila.

Raquel había encendido la televisión y miraba el noticiario matutino. Pasaban una noticia sobre la caza de ballenas en el Mar del Norte.

—Ya me voy —le dije.

Ella sostenía aún el tazón vacío de cereal, pero no quitaba los ojos de la pantalla.

—¿Me oíste? —pregunté.

Asintió.

—¿No tienes que irte tú también?

Meneó de lado a lado la cabeza.

—¿Y eso?

Se despegó de la televisión.

—No tengo clase a primera hora —me dijo.

Ésta era la oración más larga que le había oído decir antes del mediodía.

Volvió a poner atención en las noticias.

—Nos vemos al rato, entonces —me despedí.

Ella gruñó. ❖

Capítulo 2

❖ No HABÍAN PASADO ni cinco minutos de que llegué a la escuela cuando la señora Aske me descubrió.

—¿Qué clase de camisa es ésa? —me interrogó.

Qué pregunta tan tonta. ¿Qué clase de camisa pensaría que era? ¿Una camisa marciana?

—Es una camisa común y corriente, *miss* —le dije.

—Es azul.

—No había ninguna blanca limpia esta mañana, *miss*.

—¿Trajiste un recado?

—No, *miss*.

Extendió la mano.

—Tu libreta de tareas —me pidió.

Saqué de mi mochila la libreta de tareas y se la di. Es un cuadernito tonto en el que tenemos que apuntar lo que nos dejan de tarea, y donde los maestros anotan los puntos buenos y los malos. Con tres puntos malos te haces acreedor a un reporte. Con tres puntos buenos no te haces acreedor a nada. Muy justo el sistema.

—Francamente, Mateo —me decía la señora Aske—. Mira cómo vienes.

Cómo podía yo verme sin un espejo. No lo dije, claro está. Me quedé mirando al piso.

—Parece como si te hubiesen arrastrado de los pies por el pasto.

—Lo siento, *miss*.

—Tú sabes que nuestras exigencias en el aseo son importantes, Mateo.

—Sí, *miss*.

No me molestaría la observación, si ella vistiera bien. No es el caso. Es la más completa facha que hayan visto jamás. Parece una papa al horno con suéter.

Me devolvió mi libreta de tareas.

—Más vale que te des prisa en llegar a tu clase —me dijo—. No debes llegar tarde.

Berna, mi mejor amigo, me esperaba afuera del salón.

—¿Por qué te pusiste una camisa azul? —me preguntó.

—Porque me combina —repuse.

A primera hora nos tocaba inglés, lo cual quería decir que vendría un maestro suplente. Nuestra maestra de inglés ha estado ausente tanto tiempo que algunos consideran que ya murió.

Todos estábamos sentados dentro del salón, esperando ver a quién nos mandaban, cuando entró un tipo muy joven. Debía estar recién egresado de la universidad. Se presentó como el señor McCaffrey y luego nos pidió que acomodáramos nuestras sillas en círculo.

—¿Vamos a tener una discusión, profesor? —preguntó Peter Rifaat.

Nos encantan las discusiones, porque no tenemos que escribir nada.

—Digamos que sí —asintió el señor McCaffrey.

Nos repartió unas cartulinas. Parecidas a los naipes de una baraja, sólo que más grandes. Nos dijo que no las viéramos hasta que él nos lo indicara, pero todo el mundo vio enseguida la suya. Había en ellas preguntas escritas. La mía decía: "¿Qué es lo que más extrañas?"

Miré a *Berna*.

—¡Qué raro! —comenté.

Asintió. Me mostró la suya. "¿Cuál es el error más grave que has visto cometer a alguien?", decía.

—¿Qué clase de pregunta es ésa? —le pregunté.

Se quedó callado. Tenía un aire meditabundo.

—Muy bien —dijo el señor McCaffrey—. Me gustaría que trataran de responder a estas preguntas tan sincera y verazmente como puedan.

—¿Para qué? —preguntó alguien.

—Querían tener una discusión, ¿sí o no? —repuso él.

—Sí, pero por lo regular no hablamos de cuestiones personales —dijo Karen Pearson.

—¿Entonces, de qué hablan normalmente? —la interrogó.

Ella se encogió de hombros.

—No sé —contestó—. De los jóvenes y la ley, de las drogas.

—¡Qué aburrido! —terció alguien.

—A mí me parece una buena idea —intervino Susan Brady—. Es interesante.

—Entonces quizá te gustaría ser la primera —sugirió el señor McCaffrey. Susan no había contado con eso.

—Ay no, yo no, profesor —dijo.

Se había puesto colorada.

—Bueno. ¿Alguien se ofrece para echar a rodar la pelota? —preguntó el señor McCaffrey.

Se hizo un silencio bochornoso. Se oyeron un par de risillas. Yo miraba fijamente al piso. No quería toparme con la mirada del señor McCaffrey, no fuera a ser que se le ocurriera escogerme.

Me llevé una sorpresa cuando escuché hablar a *Berna*. Por lo general es muy callado en las clases.

—Mi pregunta dice que cuál es el error más grave que he visto cometer a alguien —explicó.

—Muy bien —dijo el señor McCaffrey—. ¿Y tienes una respuesta? *Berna* asintió.

—En mi opinión, casarse es el error más grave que se puede cometer —dijo.

—¿Qué te hace pensar eso? —le preguntó el señor McCaffrey.

—Porque cuando la gente se casa, se la pasa peleando todo el tiempo —repuso *Berna*.

Yo sabía por qué *Berna* había dicho eso. Su madre siempre estaba fastidiando a su padre y éste la trataba como si ella tuviese el cerebro del tamaño de un cacahuate.

—¿Todo el mundo está de acuerdo? —preguntó el señor McCaffrey.

—Mis padres se la pasan discutiendo —dijo Susan Brady.

—Pero eso no significa que tenga que ser así —objetó Karen Pearson.

Stuart Hall paseó su sonrisa por toda la clase.

—De todos modos, yo no me caso —dijo—. ¿Por qué ha de quedarse uno con la misma mujer para toda la vida?

Stuart Hall es un perfecto imbécil. Cree que les gusta a todas las niñas y siempre está fanfarroneando.

—Considérate afortunado si consigues una mujer —le espetó Karen.

—La gente se casa sólo porque cree que es su deber hacerlo —comentó Peter Rifaat.

—Pero si no te casas te quedarás solo cuando seas viejo —apuntó Karen.

—Eso te va a pasar a ti, tenlo por seguro —se burló Stuart.

—Cállate, Stuart —lo conminó Karen—. No seas infantil.

—Dejemos el tema por el momento —indicó el señor McCaffrey—. Gracias por echar a andar esto —le dijo a *Berna*—. Quizá tu compañero de junto desee responder su pregunta.

Ése era yo. Me sentí totalmente cohibido. Miré la carta. ¿Qué es lo que más extrañaba? Me esforcé en pensarlo. Iba a decir que extrañaba no haber ido a Francia el verano pasado, pero en cambio me oí decir:

—Lo que más extraño es que cuando era más chico, acostumbrábamos sentarnos a la mesa a la hora de las comidas, a comer todos juntos. Digo: mi familia.

—¿Y ahora? —preguntó el señor McCaffrey.

—Digamos que comemos por partes, cada cual por su lado, la mayoría de las veces.

—¿Han decidido hacerlo así? —preguntó.

—De algún modo se dio —repuse—. No es tan grave. Algunas veces sí comemos juntos. Es que todos tienen siempre muchas cosas que hacer.

—Entiendo. ¿Y que opinan los demás? —preguntó el señor McCaffrey.

Caí en la cuenta de cómo conducía la discusión. No hacía ningún comentario a lo que uno dijera. Sólo hacía otra pregunta, o bien preguntaba al resto de la clase. Algunos daban respuestas decididamente tontas, pero en general todos lo tomaron en serio. Para ser un novato, concluí, tenía una técnica bastante efectiva.

Para cuando sonó la chicharra, al final de la clase, habíamos discutido cerca de media docena de las preguntas. El señor McCaffrey las recogió.

—¿Haremos lo mismo la próxima clase? —le preguntó Peter.

—A lo mejor —repuso.

—¿Qué te pareció? —pregunté más tarde a *Berna*.

—Estuvo bien —dijo.

—¿Pero para qué hicimos todo eso? —pregunté.

—No sé —repuso—. Fue algo distinto.

—Me sorprendí cuando contestaste.

—Yo también —asintió *Berna*. ❖

Capítulo 3

❖ ESA TARDE se apareció Linda. Es una vieja amiga de mamá. Fueron juntas a la universidad. Cuando era pequeño solía llamarla tía Linda, aunque no es mi parienta. Ahora la llamo simplemente Linda.

Fui a abrirle.

—¿Cómo está el Hombre de Acción? —me saludó.

No hice caso. Linda comenzó a llamarme Hombre de Acción cuando era pequeño, porque yo acostumbraba jugar con extraterrestres de plástico. *Droides*, se llamaban. Ella solía decir a mi madre que no debía comprármelos.

—Son sumamente violentos —no paraba de decir.

—Todos los chicos los tienen —se defendía mamá.

A mi papá no le cae muy bien Linda. Nunca lo ha dicho, pero yo lo noto. Una vez que Linda estuvo hablando de cómo los padres deberían pensar acerca de la influencia de los juguetes sobre los niños, salió al día siguiente y me compró la Nave de Combate Extraterrestre. Todavía la conservo en mi cuarto, junto con el resto de mis juguetes.

—Te cambiaste el peinado —le comenté.

—¿Te gusta? —me preguntó.

—Se te ve bien —repuse.

En realidad se le veía vomitivo. Linda no para de hacerse cosas para cambiar de aspecto y la mayoría de las veces se equivoca. En esta ocasión, se cortó demasiado el pelo y se lo tiñó de rubio. Se hubiera visto bien en alguien mucho más joven que ella. Eso es lo que pensé.

—¿Está Beth? —preguntó.

—Está cocinando —le informé.

Cruzó el vestíbulo y se metió a la cocina. Yo regresé a ver la tele.

Raquel estaba sentada en un rincón de la sala comiendo cerezas mientras leía un libro. Se introducía una cereza en la boca, luego los dedos, sacaba el huesito, lo ponía en un tazón al lado suyo y se comía otra cereza. Todo esto sin levantar la vista de su libro.

Recorrí todos los canales de la tele. Pura bobería. La apagué.

—Llegó Linda —le dije a Raquel.

Gruñó.

—¿Qué estás leyendo que está tan bueno? —inquirí.

Interrumpió su lectura y me miró.

—Estoy leyendo acerca de los experimentos que se hacen con animales —repuso.

—No suena muy divertido —apunté.

—Es indignante —dijo—. ¿Has oído hablar de DL50?

—Suena como un grupo de rock —aventuré.

—Significa "dosis letal al cincuenta por ciento" —me aclaró Raquel—.

Es una prueba de laboratorio que se practica siempre con los nuevos productos de cualquier cosa: pastas de dientes, lápices labiales, champús, lo que tú quieras. ¿Sabes lo que hacen?

Lo ignoraba, pero tuve la sensación de que iba a ser algo horrible.

—Escogen un grupo de animales y los inyectan con dosis cada vez mayores hasta que muere el cincuenta por ciento de ellos.

—Tienes razón —comenté—. Es indignante.

Encendí de nuevo la televisión. No quería pensar en lo que Raquel acababa de contarme.

En uno de los canales había un programa de concursos. Era de mal gusto. Participaba un matrimonio. Se llevaban a la esposa por ahí y preguntaban al marido un montón de cosas. Por ejemplo: "Si a su esposa le dieran cien libras para gastar, ¿cuál de estas tres cosas cree usted que compraría: ropa para ella, plantas para el jardín, muebles para la casa, o preferiría gastarlos en una cena para los dos?"

Entró mi mamá con Linda.

—Preparé algo —nos dijo—. ¿Vienen a la cocina a comer?

—¿Qué hiciste? —preguntó Raquel.

—Carne asada.

—No tengo hambre —sentenció Raquel.

—La tendrás cuando la veas.

—No, no es cierto. Además no como carne. Soy vegetariana.

—¿Desde cuándo? —preguntó mamá.

—Desde la semana pasada.

—También hice papas fritas y chícharos.

—No tengo hambre.

—Bueno, pues entonces por qué no vienes y nos acompañas a la mesa —dijo mamá—. Vino Linda. Me gustaría que nos sentáramos todos a platicar.

—No me apetece mirar a un animal muerto servido en los platos —dijo Raquel.

Cogió su libro y salió. La oímos correr escaleras arriba y azotar la puerta de su recámara.

Mi madre dejó escapar un suspiro.

—¿Quieres comer algo, Mateo? —me preguntó.

—Ajá —repuse—. ¿Puedo antes ver si el señor acertó en sus respuestas?

—¿De qué me hablas? —preguntó mamá.

—Del programa —contesté.

Mi madre se acercó al televisor y lo apagó.

—O comes ahora, o no comes —me amenazó.

—Bueno —le dije.

Yo sabía a qué se debía la actitud de mamá. Estaba desquitándose conmigo de su disgusto con Raquel. Es lo que pasa siempre en mi casa. Los disgustos van pasando al de más abajo y por lo general al final de la cola estoy yo.

—No acertará —me dijo Linda, cuando salíamos de la sala.

—¿Cómo lo sabes? —le pregunté.

—Ya lo he visto. Nunca saben nada uno del otro.

—¿Cómo va el trabajo? —preguntó mamá a Linda en cuanto estuvimos sentados.

—Estupendo —repuso ella—. Este año tengo un par de estudiantes realmente prometedores.

Linda siempre afirma que su trabajo es estupendo. Es una de las cosas en las que se diferencia de mamá. Una vez le pregunté a mamá el porqué de esto.

—Linda es catedrática —me explicó—. Yo nada más soy una secretaria.

—¿Cómo que nada más eres una secretaria? —dije yo—. ¿Por qué ha de ser peor eso que ser catedrática?

—Bueno, porque Linda está todo el tiempo usando su cabeza.

—¿Y tú cuál usas, la de otra persona?

Mi mamá padece de un marcado complejo de inferioridad cuando se compara con Linda, sólo porque Linda terminó la universidad, mientras que mamá la dejó para casarse con mi papá. En lo personal, no encuentro nada inteligente pasarse la vida estudiando sólo para terminar enseñando a otros cómo estudiar.

—Y tú, Beth, ¿cómo estás? —preguntó Linda—. Te ves cansadísima.

Me quedé mirando a mamá detenidamente. Linda tenía razón. En efecto, se veía cansada.

—Estoy bien —repuso mamá.

—¿Cómo está David?

—Bien.

—¿Llega siempre tan tarde?

Mamá se encogió de hombros:

—Parece que cada día llega más tarde —dijo—. Y de ti, ¿qué me cuentas? —preguntó.

—¿Qué te cuento de qué?

—¿Estás saliendo con alguien en particular?

Linda rió.

—Sólo con alguien que se cree especial —dijo.

Mamá sonrió.

—Platícame de él —pidió.

Parecían haberse olvidado de que yo estaba ahí. Me comí la carne mientras las observaba. Tenían un aire como de colegialas. Casi podía imaginarme cómo debieron haber sido cuando compartían su departamento, antes de que mi papá apareciera en el escenario.

—Tiene cuarenta y cinco años, es divorciado y es profesor de sociología —contó Linda—. Pero no vine para hablar de él —agregó—. Quiero que hablemos de ti.

—¿De mí? —dijo mamá, como si lo encontrara ridículo—. Me temo que no hay mucho que decir.

—Estoy preocupada por ti —dijo Linda.

—¿Preocupada por mí? —rió mamá nerviosamente—. ¿Y por qué habrías de estar preocupada por mí?

—Ya nunca me llamas.

—Es que he tenido muchas cosas que hacer... —empezó a decir mi mamá.

—Ya lo sé. Por eso estoy preocupada. Te me estás perdiendo.

—No te entiendo.

—Bueno, ¿dónde está la Beth Fricker que yo conocía?

—Aún por aquí —repuso mamá.

—¿En serio? Yo no estoy tan segura. Solías ser muy ocurrente, Beth. De un tiempo acá estás demasiado cansada para pensar. ¿En qué va a acabar esto?

Mamá se volvió a verme como si de pronto hubiese caído en la cuenta de que yo las estaba escuchando.

—Estoy bien —dijo—. Todo el problema es que tengo mucho que hacer.

—Te hace falta un descanso —opinó Linda.

—Claro que sí —repuso mamá—, pero...

—¿Por qué no nos vamos tú y yo de fin de semana? —propuso Linda.

—¿A dónde?

—Estaba pensando ir a Bristol.

—¡Bristol!

Es donde habían ido juntas a la universidad.

—Podríamos instalarnos en un hotel; ir a recorrer todos los sitios donde vivimos.

—Pero no quedará ningún conocido.

—No importa.

—No, en realidad no —reconoció mi madre.

Se le había puesto la mirada húmeda, como si no estuviese mirando nuestra cocina, con sus paredes blancas y su piso de mosaico percudido, sino su propio pasado, desplegándose frente a ella; un pasado que compartió con Linda, pero no conmigo.

—Tendría que consultarlo con David —dijo ella.

—Naturalmente —coincidió Linda.

—¿Cuándo nos iríamos?

—Bueno... —expuso Linda—.. Voy a estar saliendo bastante con Malcolm en los próximos dos meses.

—¿Malcolm es el profesor de sociología? —preguntó mamá.

—El mismo. Pero el próximo fin de semana no tengo nada que hacer.

—¡El próximo fin de semana! —repitió mamá sobresaltada—. No. Imposible.

—¿Por qué? ¿Tenías planeado hacer algo?

—No, pero faltan solamente cuatro días.

Linda se acercó a mi mamá por encima de la mesa y la tomó del brazo.

—Anda, Beth —le dijo—. Déjate llevar por tus impulsos.

Mi mamá meneó la cabeza.

—No sé —vaciló. Bajó la vista a su plato.

—¿Dónde está la mujer que yo conocía?

Mi mamá no respondió.

—Por ahí debe andar, en algún lado —afirmó Linda—. Estoy segura.

Mi mamá levantó la vista de su plato. De pronto sonrió. Era una sonrisa tímida, pero auténtica, no con su acostumbrada tensión en los labios.

—De acuerdo —dijo—. Nos vamos. ❖

Capítulo 4

❖ DECIDÍ ESCRIBIRLE a Elizabeth. Subí a mi recámara, puse el seguro a la puerta, saqué la caja donde guardo las cartas y elegí una hoja limpia de papel. Las tengo de muchos colores diferentes. Escogí una azul.

Escribí:

Lunes 11 de junio
Querida Elizabeth,
Estoy sentado en mi habitación, escribiéndote, como siempre.
Raquel está en el baño. Probablemente está sentada en la tina, leyendo, que es lo que le ha dado por hacer todo el tiempo. Abajo, mi mamá se bebe una botella de vino con su mejor amiga. Están celebrando su decisión de salir el fin de semana.
Linda se vuelve más escandalosa mientras más bebe; mamá, más callada. No paran de hablar de cómo eran las cosas cuando eran estudiantes y vivían juntas. Antes de que conocieran a mi papá.

Mi papá aún no llega a casa. Me parece increíble. Son casi las diez y media. No sé si mi mamá se ha dado cuenta de la hora que es.

Cuando yo era pequeño, mi papá acostumbraba tirarse en el piso a jugar al Lego conmigo. Me acuerdo como si fuera ayer. Solían ocurrírsele cosas francamente buenas para construir con el Lego. No únicamente casas. También hacíamos robots y laberintos. Jugábamos a que los robots perseguían a los droides por entre los laberintos.

¿Las niñas juegan al Lego? Me imagino que sí, porque Raquel también jugaba, aunque decía que ya era demasiado grande.

Tengo toda una caja llena con estas cartas a Elizabeth. Nunca las pongo en el correo, porque resulta que Elizabeth no existe. Yo la inventé.

Supongo que les parecerá bien loco esto de escribir cartas a una chica imaginaria. A mí no me lo parece. Nuestro profesor de historia, el señor Taylor, dijo que antes la gente acostumbraba escribir cartas todo el tiempo, porque no había teléfonos y no era fácil trasladarse de un lugar a otro. De modo que muchas veces la gente se carteaba durante años sin encontrarse en persona.

Todo comenzó cuando Stuart Hall y otros chicos de la clase contaban de las chicas con quienes salían. Según Stuart Hall, él ha salido con centenares. Nadie le cree, pero ninguno lo tacha de mentiroso. Si conocieran a Stuart Hall, sabrían por qué.

Un día, alcanzó a escuchar que yo me reía de él. Fue después de una clase de geografía en la que había dicho al profesor que Francia era más grande que América. Lo peor es que de verdad lo creía.

Más tarde, *Berna* y yo nos moríamos de la risa al recordarlo, pero ignorábamos que Stuart estaba parado justo detrás de nosotros. De pronto, me apercolló y comenzó a ahorcarme. Luego cogió mi mano y me fue torciendo los dedos hacia atrás. Creí que me los rompería. Me hizo ponerme de rodillas y pedirle perdón. Luego me escupió y se marchó tan tranquilo.

Por eso nadie le lleva la contraria. Sin contar a Karen Pearson. Ella le dice lo que le da la gana y, aunque él siempre le contesta, nunca le hace nada. No entiendo bien por qué.

En fin, aquella vez, cuando todos estaban contando de las chicas con quienes habían salido, Stuart Hall se volvió hacia mí y dijo:

—Mateo no sale con nadie.

—Pues fíjate que sí —le repliqué.

—¿Ah, sí? —dijo—. ¿Y cómo se llama? ¿*Berna*?

Aquello le pareció increíblemente gracioso. No paraba de reír, luego codeó a sus amigos y todos rieron con él.

—Se llama Elizabeth —dije.

—Elizabeth qué —preguntó.

Noté que no sabía muy bien si creerme o no.

—Elizabeth Collins —le dije—. Es una amiga de la familia.

Enseguida me fui, no fuera a ser que se le ocurriera preguntarme más cosas.

Desde entonces comencé a garabatear el nombre de Elizabeth en mis cuadernos de ejercicios, nada más para que pareciera más cierto. Luego empecé a imaginar cómo sería. Tiene el pelo largo; le llega hasta la mitad de la espalda y tiene un brillo súper. Es muy esbelta. A veces imagino que me está esperando al terminar las clases, cuando salgo de la escuela, y los otros chicos la ven cuando se reúne conmigo. Me imagino exactamente la cara que pondría Stuart Hall. A veces imagino que hemos salido y caminamos por la zona comercial cuando nos topamos con Stuart. "Hola, Stuart", lo saludo, de la manera más increíblemente natural.

Hay una gran diferencia entre Elizabeth y las otras niñas de mi clase. Todas ellas son realmente desagradables o, si no, comunes y corrientes. Es una de las peores cosas de la escuela: tienes que convivir con un montón de gente durante una parte gigantesca de tu vida y ni siquiera puedes elegir qué clase de gente son. Podrían ser cualquiera. Lo son.

Estaba justamente pensando en esto cuando sonó el timbre. Tenía que ser mi papá. Siempre olvidaba la llave. Dejé la pluma, deslicé la carta debajo de un libro, por si acaso, y bajé a abrir. Mientras bajaba miré mi reloj. Faltaba un cuarto para las once. Papá ni siquiera había telefoneado para avisar que llegaría tarde. Me pregunté qué habría estado haciendo. De una cosa sí estaba seguro: no había estado jugando con el *Lego*. ❖

Capítulo 5

❖ —AQUÍ ESTÁ LINDA —le dije a mi papá en cuanto abrí la puerta. Me pareció que le caería bien que lo pusiera sobre aviso.

—Ah —se limitó a decir. Luego fue a la cocina.

Linda se puso de pie inmediatamente y se acercó a saludarlo con un beso.

—David —dijo—, hueles delicioso. ¿Te pusiste perfume?

Papá se disponía a decir algo cuando a mi mamá se le volcó su vaso de vino. Ella se puso de pie.

—¡Ay, no! —dijo.

Se le había derramado en los pantalones. Mi padre cogió una toalla y comenzó a embeber el líquido.

—Déjame a mí —dijo mamá.

Le arrebató la toalla a papá y comenzó a secarse los pantalones.

No sé qué pasó, pero pareció como si la temperatura en la cocina hubiera bajado más o menos quince grados.

—¿A alguien se le antoja un té? —preguntó mi papá.

—Estamos tomando vino —puntualizó mi mamá.

—En ese caso, lo haré para mí.

—¿Por qué no llamaste? —le preguntó mamá.

—Lo intenté un par de veces, pero sonaba ocupado —repuso.

Mi mamá puso cara de que no le había creído.

—Tuve que ir a tomar una copa con algunos compañeros de la oficina —prosiguió papá.

—¿Tuviste que ir? —inquirió mi mamá.

—No pude disculparme —dijo mi papá.

Llenó la tetera con agua y la enchufó.

—Ey —interrumpí—. Me acabo de acordar. Necesito una camisa blanca para mañana.

Se me quedaron mirando como si fuera un habitante de otro planeta.

—No hay ninguna limpia —expliqué—. Hoy tuve que ponerme una azul.

—Te presento a la lavadora —dijo Linda, señalando la máquina—. "Lavadora, éste es el Hombre de Acción."

—Es que no sé cómo se pone —repliqué.

Estaba claro por qué a mi papá no le simpatizaba.

—Yo te enseño —propuso Linda—. Ve por una camisa blanca.

—Déjame a mí, Linda —le dijo mamá.

—No te apures —repuso ella—. No me cuesta nada.

Subí y cogí la camisa blanca que me había puesto hacía dos días. Bajé con ella y se la mostré a Linda.

—Ésta es la puerta —me explicó—. Se abre así.

—Está bien —dije—. Basta con que me digas qué programa de lavado uso.

—Puedes verlo en la perilla —me indicó—. Mira: el C es para blancos. Sólo tienes que poner un poco de jabón en el huequito de arriba.

—¿Cuánto?

—Un puñado.

—¿Nada más?

—Es sólo una camisa.

Hice lo que me dijo.

—¿Sabes lo que hace mi amiga Hilda? —le preguntó Linda a mi mamá.

—No. ¿Qué? —preguntó ella a su vez.

—Le da a cada uno de sus hijos un cuchillo, una cuchara y un tenedor, y tienen que hacerse responsables de lavarlos y traerlos a la mesa cada vez que comen. Buena idea, ¿no?

—¿Y su marido?

—Él también.

—Yo conozco a Hilda, ¿no es cierto? —preguntó mi papá.

—Puede ser —repuso Linda.

—¿Es la que tiene cara de boxeador?

Linda cogió su abrigo:

—Creo que me voy yendo —dijo.

—No te sientas obligada a marcharte por culpa de David —le dijo mi mamá.

—Claro —coincidió mi papá—. No te sientas forzada a irte por mi causa. A fin de cuentas, aquí nada más soy un inquilino.

—¡David! —le reclamó mi mamá.

Linda estaba ya en el vestíbulo.

—Te echo un telefonazo mañana —gritó.

Mi mamá salió detrás de ella. Podía oírlas cuchichear en la puerta principal.

Mi papá me inspeccionó con la mirada.

—No te esfuerces por crecer —me dijo—. No vale la pena.

Escuché el ruido de la puerta al cerrarse y mi mamá entró en la cocina. Muy pocas veces se enoja; pero cuando lo hace, la cosa va en serio.

Decidí que había llegado la hora de irme a la cama. Subí y me senté a terminar mi carta.

Mi papá ha vuelto de la oficina; tardísimo. Huele como una fábrica de perfumes. Mi mamá está furiosa con él. En este momento se están peleando. Puedo oírlos decirse cosas como si fueran dos víboras. No creo que tus padres hagan eso nunca. Qué suerte tienes.

Es mejor que termine. Ojalá nos veamos pronto.

Besos,
Mateo

Capítulo 6

❖ MI PAPÁ NO USA perfume. Usa loción para después de rasurarse. Dice que es distinto. A mí no me convence del todo. Lo que desde luego es diferente es el aroma de *Bravío*, la loción que usa mi papá, y el tufo que todavía impregnaba la cocina a la mañana siguiente.

El olor de *Bravío* es como una cruza entre un hospital y una zapatería. No entiendo por qué le gusta a mi papá, pero le gusta. El olor de la cocina no tenía nada que ver. Era dulce y como aletargado.

Mamá y papá también estaban aletargados. Pero en modo alguno dulces. Se pasaron peleando la noche entera. En voz baja, dentro de su recámara, pero con no poca ferocidad.

Pude oírlos hora tras hora, mientras trataba de conciliar el sueño. Se repetían las mismas cosas una y otra vez. Mi papá insistía en que nada había ocurrido, que solamente habían estado charlando. Al principio creí que cuando hablaba de "habían estado", se refería a él y a mamá. Luego de un rato, caí en la cuenta de que se refería a él y a alguien más.

Papá insistía con mi mamá en que su trabajo era así; que tenía uno que trabajar muy de cerca con la gente. Mi mamá le repetía que aquello eran mentiras. Pero eso no era todo. También le preguntó varias veces por qué no había llamado. Él le dijo que lo había intentado. Ella repuso que no le creía. Pude oír el llanto de mamá. Fue horrible.

Mi camisa blanca no estuvo lista. Estaba limpia, pero no seca. Nadie la sacó de la lavadora. Ya ni me preocupé por pedir a mi mamá que me escribiera un recado. Lo escribí yo mismo y falsifiqué su firma.

Después de que mamá y papá se hubieron marchado cada cual a su trabajo, le pregunté a Raquel qué pensaba de aquello. Ella no tenía ganas de hablar, era obvio, pero insistí.

—¿Tú crees que se estén separando? —le pregunté.

Dejó a un lado su libro y me miró con rabia.

—No sé —repuso—. Puede que sí y puede que no. Pero no vayas a contárselo a nadie.

—Claro que no —repliqué—. ¿Por qué habría de querer hacerlo? ¿A quién se lo voy a contar?

—No lo sé —me dijo—. Por si acaso.

—No te preocupes —le aseguré.

—Incluido tu amigo *Berna* —aclaró.

—Ya lo sé —repuse.

—¿Lo prometes?

—Está bien, lo prometo —le contesté.

—Bueno —dijo.

Volvió a coger su libro y recomenzó su lectura.

Me divierte ver que basta meter a treinta adolescentes en una habitación, decirles que se trata de una fiesta, y cada cual se porta encantador con los demás. Mete a los mismos treinta adolescentes en una habitación diferente, llámala escuela, y todo el mal que ha estado fermentando dentro de ellos durante años comienza a derramarse.

Pensé que sería mi día de suerte, porque me las arreglé para que, en filas, ni la señora Aske ni nadie más se diera cuenta de que no llevaba el uniforme. Creí que era mi día de suerte, pero me equivoqué.

La señora Aske se refirió a la suma de dinero que había recolectado la escuela para obras de caridad durante el año y enseguida entonamos un himno espantoso a la unión de los pueblos del mundo. Después nos dirigimos a clases.

Nos tocaba clase de historia. Nuestro profesor en esa materia es el señor Taylor. Lo apodamos *el Diez Minutos*, porque siempre llega con diez minutos de retraso. Esta mañana no fue la excepción. Yo estaba en mi escritorio, junto a *Berna*. Pensaba en la noche anterior, así que en realidad no estaba atento; de otro modo habría visto que alguien movía mi mochila. Me di cuenta de lo que ocurría hasta que Stuart Hall, con voz afectada, gritó:

—Me pregunto: ¿acaso es tuyo esto, querido Mateo?

Muchos rieron. Me volví y vi que sostenía mi mochila en el aire, a medias fuera de la ventana.

—Devuélvemela —le dije, como un tonto.

Naturalmente, eso era justo lo que él quería que yo hiciera.

—Pídemelo por favor —dijo.

Me levanté y fui hacia él

—Oh, oh —dijo.

Sacó toda la mochila fuera de la ventana, sosteniéndola del asa solamente, con el índice y el pulgar.

Me detuve.

—Que me lo pidas "por favorcito".

No me daba la gana pedírselo por favor, pero tampoco se me ocurría qué otra cosa podía hacer.

—Por favor —dije.

—Dije "por favorcito" —insistió.

—Por favorcito —dije.

—Dásela, Stuart —intervino Karen Pearson.

—¿Qué te pasa, a poco te gusta? —dijo él.

—Mira, ya cállate, Stuart; dale la mochila de una vez —dijo Karen.

Insatisfecho con la reacción que había provocado, Stuart introdujo la mochila.

—Aquí está —dijo—. Tenla.

Dejó caer al piso todo lo que había dentro.

—Muy gracioso —comenté.

Me acerqué a recoger mis cosas. En ese momento, noté algo que me hizo dar un vuelco al corazón, algo cuya presencia en mi mochila había olvidado, algo que no quería que nadie más viera: una hoja de papel azul escrita con mi letra. Seguramente Stuart se percató de la cara que puse, porque justo cuando me inclinaba a recogerla, él le puso un pie encima.

—Ay, qué pena —dijo con sarcasmo.

—Quita tu pie de ahí —le reclamé.

—¿De dónde? —preguntó.

—No te hagas.

—Debe tratarse de algo muy importante —dijo él.

Traté de recuperar el papel de su pie, pero él me empujó, recogió la carta y comenzó a leerla.

—Vaya. Oigan esto —dijo, llamando la atención de la clase—: "Querida Elizabeth...

No quedaba de otra. Me le aventé encima. Lo cogí desprevenido. Cayó de espaldas sobre su silla, conmigo sobre él.

Pero sus reacciones eran rápidas. Aun antes de caer al suelo ya me había asido del pelo y me lo retorcía.

Fue una locura. No sirvo para pelear. No tengo la menor idea. Es como si una medusa atacara a un perro. Me quedaba sólo una oportunidad: la sorpresa. Y la estaba perdiendo rápidamente.

Todos los chicos de la clase empezaron a corear: "¡Bronca!, ¡bronca!, ¡bronca!" Amartillé el brazo para darle un puñetazo en la cara. Lo golpeé en la boca mientras él gritaba no sé qué. Mis nudillos pegaron contra sus dientes. Empezó a salirle sangre del labio y a mí de la mano. En la mirada que descubrí en los ojos de Stuart se leía que me iba a romper la cara. Supe que había llegado mi hora.

Fue precisamente entonces cuando el señor Taylor decidió que sus diez minutos habían transcurrido. Irrumpió en el salón, se abrió paso entre la multitud que nos rodeaba, y nos forzó a ponernos de pie.

—¿Qué está pasando aquí? —gritó.

Yo miré al piso. La hoja de papel azul no estaba. Miré a Stuart. Él no la tenía en la mano. Miré a mi alrededor. No conseguí verla por ningún lado.

—¿Entonces? —inquirió el señor Taylor.

—No sé, señor —contesté. ❖

Capítulo 7

❖ LOS MAESTROS SON totalmente predecibles. Siempre se sabe qué van a decir. La señora Aske, por ejemplo, comenzó justo donde se había quedado el señor Taylor.

—Mateo, ¿me quieres decir exactamente qué está pasando aquí? —me preguntó.

De camino a su oficina, yo había pensado lo que iba a decir. No sería necesario mencionar lo de la carta.

—Stuart Hall regó lo que traía en mi mochila por el suelo, *miss*.

—¿Y eso fue razón suficiente para que lo tumbaras en el piso y lo golpearas en la cara?

La injusticia en la escuela es increíble. Te agarran de su tonto durante años. Te aguantas, aunque tu vida sea un infierno. Un buen día, por fin, te hartas. Te decides a hacer algo, aunque sabes que probablemente: *a)* te van a pegar y *b)* te vas a meter en problemas. ¿Y cuál es tu recompensa por esta valerosa acción? Un sermón sobre los derechos humanos, ni más ni menos.

—Y bien, Mateo, ¿qué me dices?

—Lo lamento, *miss*.

—Te pregunté que si, en tu opinión, el hecho de que haya vaciado tu mochila en el suelo es razón suficiente para atacar a Stuart como lo hiciste.

—Sí, *miss*.

No es lo que esperaba que yo dijera. Una de las comisuras de sus labios se torció ligeramente, como le pasa siempre que está molesta.

—Mateo —dijo—, ¿de verdad crees tú que la violencia es el mejor camino para resolver las diferencias?

He aquí otra de las cosas que me enferma de los maestros: el modo en que te llaman por tu nombre de pila cuando te están regañando. Casi nunca son capaces de recordar quién eres. Pero en cuanto te metes en problemas, toman asiento, todos seriedad y franqueza, y dicen: "Mateo esto" y "Mateo lo otro" Me parece de lo más absurdo.

—En qué quedamos. ¿Lo crees?

Me encogí de hombros.

—La violencia no soluciona ningún problema, Mateo.

Esto sí que es francamente falso. Un ejemplo: aquella vez, cuando Stuart alcanzó a escuchar que yo me reía de él porque había dicho que Francia es más grande que América. ¿Qué hizo? ¿Se reunió conmigo para discutirlo civilizadamente? No: me cogió por el cuello y, enseguida, estuvo a punto de romperme los dedos. ¿Y sirvió de algo? Claro que sí.

Y hoy mismo, cuando Stuart iba a leer mi carta a Elizabeth en voz alta a toda la clase, si le hubiera pedido cortésmente que no lo hiciera, ¿habría servido para algo? No, para nada.

Pero el asunto que en realidad me preocupaba no era si la violencia es o no moralmente justificable. Era algo mucho más simple: ¿dónde había quedado mi carta?

No creí que Stuart la tuviera. Estaba sentado fuera de la oficina de la señora Aske, sosteniendo un pañuelo contra su labio. Si la tuviera en su poder, tendría cara de estar muy satisfecho. Pero no lo parecía.

No estaba en el piso, con el resto de mis cosas. El señor Taylor me había hecho recogerlas antes de salir del salón detrás de él. ¿Dónde estaba, entonces?

—¿Me estás poniendo atención, Mateo?

—Sí, *miss*.

—Si todos recurriéramos a la violencia cada vez que algo nos disgusta, ¿en qué clase de mundo viviríamos?

—No sé, *miss*.

Era una pregunta tan tonta que no me pareció que tuviera respuesta.

La señora Aske suspiró.

—No sé qué tienes estos últimos días, Mateo —dijo.

—Nada, *miss* —repuse.

—Bueno, y ¿qué piensas de tu comportamiento de hoy? —me preguntó.

Francamente, ¿por qué no se contentaba con terminar de una vez? Estaba decidida a forzarme a estar de acuerdo con ella.

—No fue muy inteligente, *miss* —dije.

Eso sí le gustó.

—Muy cierto —dijo.

Lo que no había sido muy inteligente fue llevar la carta a la escuela, en

primer lugar. ¿Por qué se me ocurrió hacerlo? Si tan sólo pudiera regresar la película las últimas veinticuatro horas hasta el momento en que terminé la carta la noche anterior. Entonces la detendría y guardaría la carta en la caja. No la echaría en mi mochila.

Pero no podía.

—Sinceramente, Mateo —decía la señora Aske—, creo que deberías estar avergonzado.

—Sí, *miss*.

—Mira: tenemos que aprender a convivir, y en cualquier institución grande, como en esta escuela, hay gente que no se puede ver ni en pintura. Así es la vida. Aprender a llevarse con gente que no te cae bien es también aprender a crecer.

—Sí, *miss*.

Lo único que yo quería era tener la carta conmigo. Saber que estaba ahí, dentro de mi mochila, me facilitaba pensar en Elizabeth, lo cual es muchísimo más agradable que pensar en la escuela.

—Estoy preocupada por ti, Mateo.

—Lo lamento, *miss*.

—De un tiempo acá, parece como si estuvieras ausente.

—No, *miss*.

—Estoy segura de que no estás realmente concentrado en lo que estoy diciéndote.

—Sí lo estoy, *miss*.

—¿Todo bien por casa?

—Sí, *miss*.

—¿Qué ha pasado con tu uniforme de la escuela?

—Traje un recado.

Hurgué dentro de mi bolsillo y se lo di.

Lo miró un buen rato. Era apenas un par de líneas, así que debe haber estado tratando de averiguar si era auténtico o no. Por fin, resolvió algo y me lo devolvió.

—Espero que mañana te veremos con el uniforme completo —me dijo.

—Yo también, *miss*.

—*Hmm* —dijo.

Se cruzó de brazos y me observó largamente.

—Creo que no vas a entrar a clases por el resto del día.

Eso quería decir que tendría que permanecer sentado fuera de su oficina con alguna tarea aburridísima.

—¿Y Stuart Hall tampoco va a volver a clase? —inquirí.

—Lo que hagamos con Stuart Hall no es de tu incumbencia —contestó cortante—. ¿Has visto el escritorio que está frente a mi oficina?

—Sí, *miss*.

—Recoge tus cosas y ve a sentarte ahí. En un momento mando a alguien para que te ponga alguna tarea.

Me levanté para salir.

—Por cierto, Mateo, ¿está enferma tu hermana Raquel? —me preguntó.

—No, *miss* —repuse.

—¿No ha tenido algún contratiempo?

—Me parece que no, *miss*.

—Ajá. Gracias. Puedes irte y dile a Stuart Hall que entre, por favor.

Recogí mi mochila y salí de la oficina.

—Que entres —le dije a Stuart.

No dijo una palabra. Sólo se levantó y entró. Yo me dirigí al escritorio de enfrente. Aquella parte de la escuela era muy tranquila. Sólo alcanzaba a escucharse el ruido de un teclado procedente de la oficina de la secretaria. Luego sonó un teléfono dos veces y enmudeció.

Me senté, fatigado. Sabía que acababa de cometer un error, pero no estaba seguro por qué. Algo respecto a mi hermana Raquel. ¿Por qué la vida era tan complicada? ❖

Capítulo 8

❖ ERA UN PUPITRE de madera de ésos con tapa, algo desvencijado. Saqué la silla de debajo y me senté. Estaba lleno de garabatos. Me puse a leerlos para matar el tiempo. En su mayoría eran bastante aburridos; pero, en una esquina, alguien había dibujado una vaca y escrito: "La señora Aske". El dibujo era muy bueno porque, en efecto, la vaca se parecía mucho a la señora Aske.

Alguien más había contribuido con una pluma distinta; dibujó un globito saliendo de la boca de la vaca donde puso: "Supongo que estarás avergonzado".

Debajo, una tercera persona añadió: "No, pero sí estoy avergonzado de esta escuela".

Intenté pensar en algo ingenioso que aportar, pero no se me ocurrió. En lugar de eso, saqué mi *Bic* y me puse a dibujar una flecha que traspasaba la cabeza de la vaca.

Cuando menos había evitado que Stuart Hall leyera en voz alta la carta, me dije. Éste era un logro fundamental. No habría sobrevivido si la hubiese leído para toda la clase. Me hubiera muerto de la vergüenza.

Recordé algo que me había dicho mi papá en una ocasión. Fue cuando se casó Linda. Linda apareció un día para anunciarnos que se casaba con un francés que había conocido durante sus vacaciones. Se llamaba Thierry. Nos lo presentó. Parecía un hombre bastante agradable; muy tímido en realidad, lo que era sorprendente puesto que iba a casarse con Linda, quien no es tímida en absoluto.

Luego nos dijo que la boda sería en dos semanas; que aquel era un romance vertiginoso.

—Eso no va a durar —comentó más tarde mi papá.

Mi mamá le dijo que era cruel decirlo.

La boda tuvo lugar en una oficina del registro civil, no en una iglesia como en la que se casaron mamá y papá, y la celebración fue en casa de Linda. La fiesta resultó un poco aburrida para mí, porque Raquel y yo éramos los únicos niños. Estuve observando a los adultos y noté que mi papá reía todo el tiempo y hablaba rápidamente. Parecía entenderse de maravilla con la hermana de Thierry.

Luego de un rato, papá adquirió un semblante extraño y fue a sentarse en las escaleras, con la cabeza entre las manos. Muchos se acercaron a preguntarle si se sentía bien. A ninguno le contestó. Permanecía sosteniéndose la cabeza como si dudara de que se quedaría en su lugar sin su cooperación. Más o menos cinco minutos después, se levantó y se dirigió dando traspiés al baño. Fui tras él y pude oír cómo volvía el estómago. Cuando salió estaba sumamente pálido.

Alguien fue ido a decirle a mi mamá lo que estaba pasando. Ella subió y encaró a mi papá. Estaba furiosa. Ordenó que en ese instante nos fuéramos todos a casa. Se llevó del brazo a mi papá como si se tratara de un niño. Al día siguiente mi papá tenía un espantoso dolor de cabeza y se pasó el día sentado en la mesa con la cabeza entre las manos. De cuando en cuando se quejaba en voz baja.

Sentí lástima por él.

—Pobre *pa* —dije—. ¿Tanto te duele la cabeza?

—No es la cabeza —repuso.

—¿Entonces qué te pasa? —le pregunté.

—Estoy avergonzado —me dijo—. El dolor de cabeza se me quitará por la noche, pero la vergüenza no.

—No seas ridículo —le dijo mamá desde la cocina.

Su voz no me sonó muy comprensiva.

Pero en cierto sentido, mi papá tenía razón. Dos años después, Linda organizó otra fiesta para celebrar su divorcio de Thierry. Lo primero que dijo a mi papá cuando entró fue:

—Nada de emborracharse o conquistar jovencitas esta vez, David.

Lo dijo en son de broma, claro, pero a mi papá no le hizo ninguna gracia. Él y Linda no comparten el mismo sentido del humor.

Terminé la flecha. Enseguida escribí: "Esta vaca viste demasiado bien para ser la señora Aske". Cuando ponía el punto final, salió Stuart Hall.

No había estado mucho tiempo dentro de la oficina de la señora Aske. Luego de cerrar la puerta tras de sí, me sonrió. No fue una sonrisa agradable, más bien de ésas que quieren decir: "Nos vemos, idiota". Obviamente, él sí iba a volver a clase.

En realidad, me daba igual. Era una injusticia, pero estaba a gusto ahí sentado, solo, afuera de la oficina de la señora Aske. Ahí reinaba la paz.

Al poco rato, la propia señora Aske salió y se alejó por el pasillo. Cuando volvió, traía un libro en una mano y unas hojas en blanco en la otra.

—Bien, Mateo —dijo—. Quiero que copies este pasaje con tu mejor letra.

Miré el libro. Era una historia social del siglo dieciocho.

—¿Para qué, *miss*? —pregunté.

—Para entretenerte —contestó.

—Pero no estamos viendo el siglo dieciocho —le aclaré.

—Por ahora sí —repuso. ❖

Capítulo 9

❖ SE ME PERMITIÓ salir a la hora del almuerzo. Me encontré a *Berna* en la cafetería. Estaba comiéndose un sándwich de mermelada, con su habitual semblante de ligera preocupación.

—¿Qué te hicieron? —me preguntó.

—Tengo que quedarme sentado afuera de la oficina de Aske —le dije.

Asintió.

—Qué suerte tienes —comentó—. Te salvaste de un examen de ciencias.

—¿Estuvo difícil?

Se encogió de hombros.

—¿Por qué no se emplea el alambre de cobre para los fusibles —me preguntó.

—Fácil —le contesté—: porque es un buen conductor de electricidad.

—Ah —repuso.

—¿No fue eso lo que pusiste?

—No. Contesté que porque era muy caro.

—¿Así de fáciles eran todas las preguntas?

—No. Algunas eran más difíciles —replicó—. De plano, no tengo madera de científico.

—No veo por qué no —lo contradije.

Negó con la cabeza.

—¿Quieres un sándwich de mermelada? —me ofreció.

—No, gracias —repuse.

Berna trae el mismo almuerzo todos los días: sándwiches de mermelada, una bolsa de papitas, un *tetra-pack* con jugo de manzana y una manzana.

—¿No te aburres de comer siempre lo mismo? —le pregunté.

Se quedó pensando en ello como si nunca antes se le hubiese ocurrido.

—Sí —repuso—. Sí que me aburro.

—¿Y por qué entonces no traes otra cosa?

—Solamente me gustan los sándwiches de mermelada —dijo.

Dio otra mordida a su sándwich; luego se acomodó los lentes.

—Voy por algo de comer —le dije, y fui a formarme en la fila de la comida.

Apenas llevaba unos momentos allí parado cuando se me acercó Stuart Hall. Noté que tenía hinchado el labio. Se paró justo a mi lado y me dijo muy despacio:

—Te voy a romper la cara.

—Uy, sí —le contesté—. Mucho miedo.

La verdad, sí estaba muy asustado, pero traté de aparentar rudeza.

—Vas a ver —dijo. Se dio media vuelta y se alejó.

Se me escapó un suspiro. Muy probablemente la escuela resultaría en verdad horrible de ahí en adelante. Tipos como Stuart Hall nunca se cansan de atormentarte una vez que adquieren la costumbre. "Quizá se mude de casa y se cambie de escuela —me dije—. Nunca se sabe."

Decidí que haría un esfuerzo para no pensar en ello. Comoquiera, nada podía hacer al respecto. Pensé qué se me antojaba comer. Todo tenía un aspecto y un olor bastante desagradable, pero me gruñía el estómago.

—Deme flan de queso, papas fritas y chícharos —le dije a la señorita.

—Creo que cometes un error —dijo una voz femenina detrás de mí.

Me volví. Era Karen Pearson.

—Tú, ¿qué vas a comer? —le pregunté.

—Voy a pedir pescado —repuso.

Extrajo algo de su bolsillo.

—Ten —me dijo—. Pensé que te gustaría recuperar esto.

Era la carta a Elizabeth.

Sentí que me ponía rojo como un jitomate.

—Gracias —dije.

—No se la enseñé a nadie —me aclaró.

—Qué bueno —repuse.

—Debe ser agradable —dijo Karen.

—¿Quién?

—Elizabeth.

—Ajá —repuse—. Sí lo es.

Me di cuenta de que había leído la carta. Me sentí fosforecer como un betabel radiactivo.

—¿Es bonita?

—Sí —repuse—. Muy bonita.

—Por fin, ¿vas a querer el flan? —me preguntó la señorita.

—Sí, gracias —contesté.

Acerqué mi plato. La señorita azotó contra él una rebanada de flan. Era de color amarillo brillante y de lo más parecido a una jerga usada. Enseguida empezó a escurrir grasa por todo el plato.

—Creo que tenías razón en lo del flan —le dije a Karen.

—Tengo razón en muchas cosas —me contestó. ❖

Capítulo 10

❖ —TE INVITO A MI casa un rato —le propuse a *Berna* al salir de la escuela.

—No puedo quedarme mucho tiempo —me aclaró.

—Está bien —repuse.

Berna no puede quedarse nunca mucho rato en ningún lado. Sus papás son sumamente estrictos. Es hijo único. Quizá sea ésa la razón. No lo sé. Sus padres no me simpatizan.

Su papá siempre está sentado en la sala, en un sillón. Jamás se mueve de ahí. Tiene dos ojillos, como canicas, que saltan de un lado a otro en su cara y, dondequiera que vayas, siempre está observándote. Estar en la misma habitación con él es como entrar en una de esas tiendas donde una cámara de video te filma todo el tiempo. Pone nervioso.

Su mamá es todavía más rara. Cada vez que debe decir algo desagradable, como cuando me dice que es hora de que me vaya a casa, lo hace como si estuviera comunicándome un mensaje de su marido: "El padre de Bernardo opina que Bernardo ya debería haber empezado a hacer la tarea", o bien: "Al padre de Bernardo le gustaría saber a qué hora tienes que irte a tu casa".

—¿Quieres jugar a las cartas? —le pregunté a Berna cuando llegamos.

—Bueno —repuso.

—¿Qué tal si jugamos *Veintiuno* con cerillos? —sugerí.

—Bueno —repitió *Berna*.

Fui por una caja de cerillos y los separé en dos montones. Luego repartí las cartas.

—¿Cómo es que nunca he visto a Elizabeth? —me preguntó *Berna* un rato después.

—Porque no vive cerca de aquí —le dije.

—¿Entonces cómo la conociste?

—Es amiga de la familia.

Tomó un naipe de la baraja y lo miró. Pude ver cómo movía los labios mientras contaba para sus adentros.

—Pero es tu novia, ¿verdad? —me preguntó cuando terminó de sumar sus cartas.

—Algo así —repuse, tomando dos cartas nuevas.

—Te pasas escribiendo su nombre por todas partes en tus cuadernos de ejercicios.

—No en todos —lo contradije.

—En el de francés, el de alemán, el de matemáticas y el de ciencias —enumeró.

—¿Los has estado contando?

—Me he fijado, nada más.

—Es sólo una costumbre —dije.

Puse mis cartas sobre la mesa.

—Dieciocho —canté.

—Veintiuno —dijo *Berna*.

Me mostró sus cartas. Recogió el montoncito de cerillos y repartió de nuevo el juego.

—¿Cuántos años tiene? —me preguntó.

—Los mismos que yo —repuse.

—¿Es agradable?

Era lo mismo que me había preguntado Karen Pearson.

—Sí —afirmé.

—¿Qué hacen cuando están juntos? —me preguntó *Berna*.

—¿Qué clase de pregunta es ésa? —repliqué.

—Digo: ¿van al cine o qué? —aclaró.

Reflexioné.

—Casi siempre salimos a caminar —le dije.

—¿La tomas de la mano?

—A ratos.

—¿Le gusta que la tomes de la mano? —preguntó.

—Me imagino que sí —repuse—. ¿Vas a tomar más cartas?

Negó con la cabeza.

—¿Y no hacen nada más? —inquirió.

—¿Como qué? —pregunté a mi vez.

—Ya sabes: besos y cosas así.

—A veces —dije. Puse mis cartas sobre la mesa—. Veintiuno —canté.

—Ya me aburrí —dijo *Berna*—. Ya no quiero jugar.

—¿Qué quieres que hagamos?

—No sé —repuso.

Se quitó los anteojos y los limpió. Sin ellos se ve diferente, como una criatura subterránea que acabara de salir a la superficie.

—Me gustaría tener novia —dijo.

—Ya la tendrás —le aseguré.

—No conozco a ninguna muchacha —dijo—. Aparte de las que van a la escuela.

—¿Te sabes otros juegos de cartas? —le pregunté.

Negó con la cabeza.

—Lo malo —dijo—, es que mis padres no tienen amigos.

—Cómo no van a tenerlos —repuse.

—Pues no. Ninguno. Tienen parientes. Mi papá tiene dos hermanos, y mi mamá, un hermano y una hermana.

—¿Y ninguno de ellos tiene hijos?

—No de mi edad —dijo *Berna* tristón—. Ni siquiera cercanos.

Tomé la baraja y comencé a construir una casa con ella. *Berna* estuvo observándome un rato. Conseguí levantar el primer piso.

—Déjame poner una —me pidió.

—No. La vas a tirar.

—No, cómo crees.

—Haz una tú —le dije.

—Qué suerte tienes —comentó *Berna*.

—¿Suerte yo? —lo miré incrédulo—. Mira —le dije—: Stuart Hall quiere matarme; la señora Aske la trae conmigo en serio; me pasé el día copiando de un libro sobre el siglo dieciocho, ¡y me dices que tengo suerte!

—Ya lo sé —repuso—. Pero tienes una familia padre. No se la pasan peleando. Se llevan bien unos con otros, ¿o no?

—Pues te diré... —Iba a contarle cuando se abrió la puerta.

Era Raquel. Ni siquiera me había percatado de que estuviera en casa. Seguramente estaba bañándose, porque iba enrollada en una gran toalla y con otra envolvía su cabeza. Llevaba un libro en la mano e iba leyendo cuando pasó junto a nosotros. Caminó hasta el mostrador, cogió de un frutero una manzana, le dio una mordida, se dio media vuelta y se dirigió de nueva cuenta hacia la puerta.

—Oye, Raquel —la detuve.

Despegó la mirada de su libro para verme.

—La señora Aske me preguntó qué pasaba contigo —le informé.

—¿Y qué le dijiste? —me interrogó Raquel.

—Le dije que creía que nada.

—Mil gracias —dijo Raquel disgustada.

—Pues no te pasa nada.

—Pero no tenías que decírselo.

—¿Te has estado volando las clases? —le pregunté.

—¿Tú qué crees? —me dijo.

—Bueno, pues yo no lo sabía, ¿o sí? Me dijiste que no tenías que ir temprano a la escuela.

—Pudiste haber usado la cabeza.

—¿Y para qué has estado faltando a clases? —le pregunté.

Abrió la boca como para decir algo y la volvió a cerrar.

—¿Qué haces? ¿Ves la tele todo el día? —pregunté.

—Tengo cosas que hacer —repuso.

—¿Qué clase de cosas?

—Cosas importantes —me contestó—. Más importantes que la escuela.

—Más vale que vayas mañana —le sugerí.

Suspiró.

—Voy a falsificar un recado —dijo.

—Pues hazlo muy bien —le advertí—. Yo tuve que falsificar uno por no llevar el uniforme y me pareció que no se lo tragó.

—¡Caramba! Eres una verdadera lata —gritó Raquel.

—No fue mi culpa —protesté.

—¿Has oído hablar de la prueba de Draize? —me preguntó de repente.

—¿Cómo? —dije.

—¿La aplican en la escuela? —preguntó *Berna*.

—Claro que no —dijo—. Es una prueba para los animales.

—No quiero saber de qué se trata —me defendí.

—Pues deberías —me aleccionó—. Todo el mundo debería saberlo. La usan para poner a prueba nuevos productos: perfumes y esas cosas. Ponen los compuestos en el ojo de un conejo, para ver qué pasa. El conejo no puede moverse. Está inmovilizado. ¿Y sabes por qué usan conejos? Porque no tienen conductos lagrimales. No pueden quitarse esa cosa de los ojos.

Raquel estaba de pie mirándonos. Lloraba.

—Es horrible —dijo *Berna*.

Raquel se dio media vuelta y se fue.

Berna y yo nos quedamos callados un buen rato, pensando en lo que Raquel acababa de contarnos. Por fin, *Berna* habló:

—¿Para qué nos lo contó? —me preguntó.

—No sé —repuse—. Se la pasa pensando en eso.

Berna miró su reloj.

—Tengo que irme —dijo. Se caló de nuevo los anteojos.

—Pero si acabas de llegar —le reclamé.

—De todas maneras me tengo que ir —afirmó.

Se puso de pie súbitamente, golpeando la mesa en el trayecto. La casa de cartas que con tanto cuidado levanté se estremeció un segundo y se derrumbó sin hacer ruido, formando una pila en el centro de la mesa. ❖

Capítulo 11

❖ PARA LA CLASE siguiente, el señor McCaffrey no nos repartió tarjetas con preguntas. Sólo dijo:

—Esta clase la dedicaremos a hablar de las relaciones. Así que empecemos por ponernos de acuerdo en lo que significa esta palabra. ¿Stuart?

No había tardado mucho en aprenderse el nombre de Stuart; pero si creyó que apelar al lado responsable de la naturaleza de Stuart iba a darle algún resultado, se equivocó.

—Una relación es lo que haces con una chica mientras la convences de que se acueste contigo —respondió Stuart.

Acto seguido paseó su sonrisa por toda la clase. Uno o dos rieron, pero la mayoría no. Empezábamos a hartarnos de él.

—Como chiste no está mal —comentó el señor McCaffrey—, pero no resulta muy útil para precisar el significado de la palabra, ¿no te parece?

Me señaló.

—¿Cómo te llamas?

—Mateo Paton —contesté.

—A ver, Mateo, ¿Puedes decirnos qué es una relación?

—Una relación es cómo te llevas con alguien —repuse.

—O cómo no te llevas —sugirió *Berna*.

—Muy bien —dijo el señor McCaffrey.

—Uno está relacionado con todos sus conocidos —propuso Karen.

—Correcto —convino el señor McCaffrey—. Cada uno de ustedes tiene cierto tipo de relación con todos los demás integrantes de la clase.

—¡Qué va! —intervino Stuart—. Yo no tengo ninguna relación con

Karen Pearson, ni de broma —insistió con aquella sonrisa idiota—. Excepto en sus sueños —añadió.

—Mira, Stuart —dijo el señor McCaffrey—. Empiezo a cansarme de tus tonterías. Me gustaría que por favor tomaras en serio esta discusión, o bien te abstuvieras de echárnosla a perder al resto de nosotros. ¿Me pregunto cuántos en la clase están de acuerdo conmigo?

Stuart se molestó.

—No les interesa discutir esto —aseguró—. Es muy aburrido.

—Vamos a preguntarles —propuso el señor McCaffrey—. ¿Qué te parece la idea, Stuart?

Stuart se encogió de hombros.

—No sé a qué se refiere —dijo.

El señor McCaffrey se volvió hacia la clase.

—A ver —dijo—. Quiero que Stuart tome en serio esta discusión, o cuando menos que se abstenga de arruinársela a los demás. Por favor, levante la mano quien esté de acuerdo conmigo.

Stuart se dio vuelta con todo y silla, arrastrándola ruidosamente por el piso. Se sentó de frente a la clase. Ya no lucía su tonta sonrisa. Había puesto cara de maldito.

Karen Pearson levantó inmediatamente la mano. Nadie más se animó.

—¿Lo ve? —dijo Stuart—. No están de acuerdo con usted. ¿Satisfecho?

Yo levanté la mano. La sentía temblar mientras me esforzaba por mantenerla en alto. Stuart me señaló con el dedo y murmuró algo entre dientes. No alcancé a oír qué dijo; pero no hacía falta: era fácil adivinarlo.

—¡Sólo dos! —exclamó Stuart despectivamente—. Qué gran cosa.

Muy despacio y nerviosamente *Berna* alzó la mano. A espaldas de *Berna* pude ver que Peter Rifaat levantaba la suya; luego Susan Brady, enseguida Saima Ali, luego muchas manos más se alzaron.

—Muy bien, Stuart. ¿Te das cuenta de lo que opinan los demás?... De cualquier modo, estás invitado a integrarte a la discusión si tienes algo constructivo qué decir —le dijo el señor McCaffrey.

Stuart no contestó. Se dio nuevamente la vuelta hacia el frente del salón. Durante el resto de la clase no abrió la boca.

—Veamos ahora cuántas clases de relaciones diferentes se les ocurren —prosiguió el señor McCaffrey.

—La familia —propuso Peter.

—Bien. Una de las más difíciles, en cierto modo —comentó el señor McCaffrey.

—¿Por qué lo dice? —le preguntó Saima.

—No lo sé, ahora que lo preguntas —repuso el señor McCaffrey—. Será porque a veces uno tiene esa impresión.

—Yo me llevo muy bien con mi familia —dijo Saima.

—Qué bueno —repuso él.

—Lo que pasa —intervino Susan— es que puedes escoger a tus amigos, pero no a tu familia; por eso es más difícil.

Me puse a pensar cómo estaba actuando mi familia últimamente. Mis padres, concluí, habían sacado su más baja calificación en comportamiento adulto la noche anterior. Cuando mi papá volvió a casa después del trabajo, mi mamá le había comunicado su decisión de irse de fin de semana con Linda. No le hizo la menor gracia.

—No puedes irte —le dijo.

—¿Cómo que no puedo irme?

—Falta muy poco tiempo.

—Es la única oportunidad que tiene ella de salir conmigo.

—Así que nosotros tenemos que ver cómo le hacemos para que Linda no se complique la vida.

—No es para que Linda no se complique —aclaró mamá—. Es para no complicarme yo.

—¿Y yo qué? —quiso saber mi papá.

—Podrás sobrevivir sin mí.

—Ya lo sé.

—Entonces, ¿cuál es el problema?

—Tengo muchos pendientes en el trabajo.

—Sí, ya me he dado cuenta de lo ocupado que estás —comentó mi mamá con todo el sarcasmo que pudo—. Por eso te quedas siempre trabajando hasta tarde.

—Mira. No me vengas ahora con eso —dijo mi papá, alzando la voz.

—¿Con qué? —repuso mi mamá, alzando también la voz.

—Ya sabes de qué te estoy hablando —le gritó mi papá.

—No me grites —le gritó mi mamá.

Y así se pasaron horas. Como dos bebés peleando por una sonaja. Traté de calmarlos, pero no parecían percatarse de mi presencia en la habitación.

—¿Pueden calmarse, por favor? —supliqué.

Ni siquiera se volvieron a verme.

—Debían darse cuenta de lo que dicen —les dije—. Están haciendo el ridículo.

Salí de la habitación y azoté la puerta. Subí y pasé junto a Raquel, que estaba sentada en el último escalón, escuchando.

—¿Por qué se comportan así? —le pregunté.

Movió de un lado a otro la cabeza.

—No sé —dijo.

Entré en mi cuarto y me tiré en la cama. Me sentía enteramente hasta el copete.

Mientras yo recordaba la discusión entre mi papá y mi mamá, el señor McCaffrey y los demás continuaban hablando de la familia, de los amigos de la familia, de otros conocidos y de los amigos íntimos. Ahora pasaban a hablar de los amigos del sexo opuesto.

—Usted se refiere a los novios y las novias —aclaró Peter Rifaat.

—Puedes ser amigo de alguien del sexo opuesto sin que tenga que ser tu novio o tu novia —señaló Susan Brady.

—No es fácil —objetó Peter—, cuando la amistad rebasa cierto nivel.

—Sé que esto es lo que más les interesa a ustedes —dijo el señor McCaffrey—, y lamento tener que interrumpirlos, pero está a punto de sonar el toque de salida y quiero dejarles algo de tarea.

Se escuchó un gruñido generalizado.

—Lamento que lo tomen así —dijo—. Tengan en cuenta que, según entiendo, no han tenido un maestro definitivo de inglés desde hace mucho y están atrasados.

—Qué importa, profesor —se oyó decir a alguien.

—En cualquier caso, yo soy de la opinión de que es una buena idea —dijo el señor McCaffrey—. Lo único que voy a pedirles es que me escriban un cuento.

Nuevos gruñidos.

—Momento. Todavía no he terminado —prosiguió—. Su tarea es comenzarlo en casa. No importa si no consiguen adelantar mucho, y basta con que me traigan un primer borrador.

—¿Sobre qué tema? —le preguntó Saima.

A ella le gusta escribir cuentos. Acostumbra escribir unos que ocupan la mitad de su cuaderno de trabajo.

En lo personal, no me disgusta escribir un cuento. Lo que odio son las cosas que solía encargarnos el antiguo profesor de inglés. En clase, nos hacía leer un libro en voz alta. A veces aquello era mortalmente lento, porque algunos leen súper mal. Una vez tuve que faltar una semana porque me dio varicela. Cuando volví, resultó que apenas habíamos avanzado una página y media.

Luego nos hacía escribir cartas entre los personajes de la historia. O, si no, teníamos que escribir el diario de uno de los personajes del libro. Qué aburrido resultaba aquello; qué manera de arruinar una lectura.

—Tiene que hablar de la relación entre dos personas —dijo el señor McCaffrey—; de una relación muy importante. Quiero que de verdad se centren en esa relación y en el sentimiento que cada una de estas dos personas tiene por la otra.

—O sea, como una historia de amor —dijo Saima.

—Puede ser —repuso el señor McCaffrey.

—¿Y los muchachos? —preguntó Peter—. Los muchachos no escriben historias de amor.

—Pero podrían intentarlo —dijo el señor McCaffrey.

—Si dos personas se odiaran muchísimo, podría también ser eso una relación, ¿o no? —preguntó Peter.

—Por supuesto —aseguró el señor McCaffrey.

—Entonces está bien —repuso Peter.

—¿Entendieron todos lo que tienen que hacer? —preguntó el señor McCaffrey.

—Sí, profesor —respondimos a coro.

El timbre sonó, señalando el final de la clase. Stuart Hall se puso de pie y tiró la silla de una patada.

—Qué porquería de clase —exclamó en voz alta, cuando salía del salón. ❖

Capítulo 12

❖ —¿Sabes dónde está Raquel? —me preguntó mi mamá.

—¿Qué, no ha llegado todavía? —pregunté a mi vez.

—No.

—Tal vez fue a dar una vuelta por casa de Ema —sugerí.

—Son casi las siete —comentó ella.

—Ya sabes cómo es.

—Sí —repuso mamá—. Estaba pensando si tendrá hambre cuando regrese.

—Yo creo que no —le dije.

—Cómo me gustaría que se pudiera contar un poco más con ustedes, —comentó.

—Conmigo sí cuentas —protesté.

—Pues no te ganarías el premio a la confianza —repuso.

—No se vale —objeté—. ¿Cuando te he fallado?

—Déjame pensarlo un segundo —me pidió mamá.

—Lo ves —la reté—: no pudiste acordarte de nada.

—Perdóname —dijo ella—. No debo culparte por lo que hace tu hermana.

—Es cierto: no debes —asentí.

Sonó el teléfono.

—Debe ser ella —dije—. Yo contesto.

Era *Berna*.

—¿Ya empezaste con lo de inglés? —quería saber.

—No —repuse—. Estoy a punto de empezar.

—¿Ya sabes de qué se va a tratar tu cuento?

—Espérame un momento —le dije—. Es *Berna* —informé a mamá. Ella siguió rebanando un pepino.

—Todavía no —contesté a *Berna*.

—Se me ocurrió hacer uno de un hombre que hace un programa de computadora que le permite introducirse en los archivos secretos del Ministerio de la Defensa y...

—Perdóname que te interrumpa —le dije—, pero casi estoy seguro de que no es eso lo que nos pidió el señor McCaffrey.

—Déjame terminar —dijo *Berna*—. Entonces llega una mujer programadora y lo descubre, y se empiezan a dejar mensajes en la pantalla. Ella se enamora de él y deciden escapar juntos.

—Puede ser —dije.

—Sí es una relación, ¿o no? —inquirió Berna.

—Ajá —repuse.

—Y entonces, ¿qué tiene de malo?

—Nada —le dije—. Síguele por ahí.

Absolutamente en todos y cada uno de los cuentos que ha escrito *Berna* en su vida aparece por algún lado una computadora y la trama trata siempre de gente que quiere apoderarse del planeta.

—¿Tenías miedo cuando alzaste la mano para votar si queríamos que Stuart tomara en serio la clase? —me preguntó.

—Todavía lo tengo —confesé.

—Yo también —repuso él—. Empiezo a creer que cometimos un error.

—Claro que no —dije yo.

—Nos dejamos convencer —sostuvo.

—No. No es cierto. Todo el mundo está hasta el gorro de Stuart Hall.

—Oye —dijo *Berna*—. Se me acaba de ocurrir una idea mejor para un cuento. Un tipo que es riquísimo y tiene su casa custodiada por un sistema de seguridad computarizado. Y hay otro tipo que quiere robarle. Entre los dos hay una relación de miedo. Así voy a titularlo: "Relación de miedo". ¿Te parece un buen título?

—Está bien —le dije—. ¿Para eso me llamaste?

—En parte —confesó.

Yo sabía que ése no era el motivo. Era típico de *Berna*. Nunca te decía nada a la primera. Se demoraba para decirte lo que quería hasta el último minuto. Al final te lo soltaba. Era un acaparador. Cuando éramos pequeños y nos daban un dulce a cada uno, solía desesperarme por su lentitud para comérselo. Siempre procuraba asegurarse de que a él le quedara un poco cuando yo me hubiese terminado el mío.

—¿Qué más, entonces? —le pregunté.

—¿Viste hoy el noticiario de la tarde? —inquirió.

—No —repuse—. ¿Por qué?

—Salió Raquel.

—¿Qué?

—Participó en una protesta, afuera de no sé qué tienda.

—Un momento, *Berna* —dije—. Explícame bien. ¿Me estás diciendo que mi hermana Raquel salió en el noticiario de esta tarde, en una protesta afuera de una tienda?

En cuanto dije lo anterior, miré a ver si mi mamá me había escuchado. Continuaba rebanando pepinos.

—Sólo en el canal local —aclaró *Berna*.

Si cualquier otra persona me hubiera llamado para decirme algo así, le hubiera dicho que estaba loca. Pero *Berna* no es de los que se andan con locuras. *Berna* es tranquilo, casi tímido, y de lo más común y corriente. Lo único raro en él es que come dulces con extrema lentitud y que está obsesionado con las computadoras. Y no son cosas demasiado raras.

—Hoy fue a la escuela —le dije—. Salió junto conmigo. Seguramente viste a alguien que se le parece.

Aún antes de completar la oración, yo sabía que no era verdad.

—Definitivamente, era ella —insistió *Berna*—. Llevaba puesta esa playera rosa; tú sabes cuál: la que tiene pintado un tiburón en el frente.

—Es un delfín —le aclaré.

—Está bien, un delfín —convino *Berna*—. Pero sin duda era ella.

Ella misma había pintado el delfín, con lápices especiales para ropa. Y, sí, parecía más bien un tiburón.

—¿Y qué dijo el comentarista? —le pregunté.

—Dijo que los defensores de los derechos de los animales habían organizado una protesta afuera de una peletería desde hace cuatro días. Que hubo un jaloneo cuando uno de ellos intentó rociar de azul el abrigo de un cliente con pintura en aerosol. Que una persona fue arrestada.

—¡Que barbaridad! —dije.

—Pensé que debía decírtelo —se disculpó *Berna*—. Tengo que irme a empezar con lo de inglés.

—Espera un momento, *Berna* —le pedí—. No cuelgues todavía. ¿Dijeron quién es el que fue...?

—¿El que fue qué? —preguntó *Berna*.

—Ya sabes —le dije entre dientes. No quería hablar en voz alta.

—¿Arrestado, quieres decir? —dijo.

—Claro.

—No lo dijeron —repuso.

—No te creo —le dije.

—Ya sé —dijo él—. Mira, ya tengo que colgar. Mi papá se acaba de dar cuenta de que estoy hablando por teléfono y ya sabes cómo se pone.

—Está bien —repuse.

—Nos vemos.

—Ajá.

Colgué. Me urgía preguntar a *Berna* muchas más cosas sobre la notic pero sabía que su papá iba a pararse justo a su lado, mirándolo con ojos de pistola y peor aún al aparato de teléfono. Según el papá de *Berna*, los niños no deberían usar nunca el teléfono.

—Cuando pagues el recibo, entonces podrás hacer llamadas —le dice a *Berna*.

Una vez, en clase de civismo, hicimos un ejercicio de presupuestos. Teníamos que averiguar cuánto cuesta mantener un hogar típico. Llevamos a clase un montón de recibos, entre ellos algunos de teléfono. El nuestro era verdaderamente descomunal. Es lo que yo hubiera imaginado que correspondía a un año entero. El de *Berna*, en cambio, era virtualmente inexistente. Cuando se lo conté a mi papá, se quedó atónito. La semana siguiente, cada vez que alguien cogía el teléfono, no paraba de dar vueltas haciendo señas de que colgáramos rápido. Pero después de un tiempo lo olvidó y todo volvió a la normalidad.

Mi hermana Raquel es quien usa el teléfono en exceso. Se la pasa hablando con sus amigos. Por lo menos así era antes. A últimas fechas, por lo general está leyendo o pensando en el medio ambiente. Eso cuando no se suma a un acto de protesta afuera de una peletería. Así que esto era aquello muy importante que debía hacer. Seguramente se fue de pinta después de pasar lista en la escuela. Y ahora, al parecer, había conseguido que la arrestaran.

Me quedé mirando el teléfono como si se tratara de una bomba de tiempo.

—¿Qué quería *Berna*? —me preguntó mamá.

Su voz me hizo dar un salto. La miré e hice un esfuerzo por pensar qué contestarle. No se me ocurrió nada. Mi cabeza pensaba frenética; mis ideas daban vueltas en un torbellino, pero a ninguna conseguía hallarle pies ni cabeza.

—¿Te sientes bien, Mateo? —me preguntó.

—Ajá —repuse.

—No tienes muy buena cara. ¿Seguro que te sientes bien?

—Me duele un poco la cabeza —le dije.

—¿Quieres unas pastillas?

—No.

—Ojalá no te vaya a dar algo.

—No, *ma*. Me siento bien, de veras.

Mi mamá está permanentemente preocupada por que a Raquel o a mí nos vaya a dar algo. Lo que no pude decirle es que a Raquel podía darle algo mucho más grave que el virus más reciente.

—Creo que voy a subir a acostarme un rato —le dije—. Me siento cansado.

—Está bien —repuso.

—Hoy tuvimos educación física —le mentí.

Asintió. Parecía haber olvidado su interés en la llamada de *Berna*. Tarde o temprano se enteraría de la verdad. Pero no iba a ser yo quien se lo dijera. Llámenme cobarde, si quieren, pero esto era superior a mis fuerzas. Subí a mi habitación, me senté en la cama y aguardé a que el cielo me cayera encima. ❖

Capítulo 13

❖ MI PAPÁ TIENE un dicho: "No por mucho madrugar, amanece más temprano". Quiere decir que mientras más se ansía que algo ocurra, más tiempo tarda en ocurrir. Así que, luego de esperar veinte minutos a que la policía llamara a la puerta para informarnos que Raquel había sido arrestada, me propuse hacer un esfuerzo por alejar de mi cabeza estos pensamientos. Después de todo, aún tenía que hacer mi tarea, pasara lo que pasara.

Había decidido que mi historia se titularía "La separación". Se trataría de un chico llamado Malcolm y una chica de nombre Elaine. Los profesores dicen que siempre debe hacerse un guión antes de comenzar a escribir un cuento, así que tomé asiento y anoté:

La separación

1. Malcolm
2. Malcolm y Elaine
3. Elaine

Era un guión bastante modesto, al menos en comparación con cualquiera de los planteamientos de *Berna*. Sus guiones son casi tan largos como uno de mis ensayos. Yo había meditado en mi historia largo rato y ya sabía lo que escribiría. Me centraría en las emociones, como había dicho el señor McCaffrey. La historia tendría lugar en un parque y se desarrollaría en tres actos. Comencé:

Malcolm estaba sentado en la banca del parque, atento a lo que ocurría a su alrededor. A esta hora del día el lugar se encontraba prácticamente desierto. Había un hombre que arrojaba palos a su perro, y una mujer en shorts *y* playera *corría por los senderos. En los juegos había un grupo de pequeños. Algunos de ellos iban con su mamá. Malcolm miró su reloj. Faltaban cinco para las doce. Elaine llegaría en cinco minutos. Era siempre puntual. Era una de las muchas cosas que a él le gustaban de ella.*

En eso llamaron a la puerta de la calle. Me puse de pie como impulsado por un resorte. ¡La policía! Dejé mi pluma sobre el escritorio y fui hasta las escaleras para asomarme abajo. Mi mamá abría la puerta. Era papá.

—Nadie te obliga a poner esa cara de desilusión —le dijo a mi mamá.

—Pensé que eras Raquel —le aclaró mi madre. Cerró la puerta tras él.

—Pues te equivocaste —repuso él.

Dejó en el suelo su portafolios y se quitó el abrigo. Lo colgó en el barandal de la escalera.

—Me gustaría que no colgaras allí tu abrigo —dijo mamá. Tomó el abrigo y lo colgó en el clóset debajo de la escalera—. Raquel no ha regresado todavía —le informó.

—Seguramente está en casa de Ema —comentó él—. ¿Hay algo de cenar?

Volví a mi habitación y me senté otra vez frente a mi escritorio. Escribí:

> *Malcolm se había prendado de Elaine desde la primera vez que la vio. Era su tipo. Tenía cabellos largos, como seda. Su mirada era profunda y pensativa.*

¿Podría la mirada ser pensativa? No estaba muy seguro. En realidad, se piensa con el cerebro, no con la mirada. Pero los ojos de una persona dicen mucho de ella. Cambian según el humor de que esté. Proseguí:

> *De un tiempo a la fecha, esos ojos tenían un aire triste.*
>
> *Malcolm miró hacia el sendero, por donde la corredora se había perdido a lo lejos. Pudo apenas distinguir una silueta delgada, de cabello largo, que se acercaba caminando.*

—Mateo —oí que me gritaba mi mamá desde abajo—, ¿te sabes el número de Ema?

—No —grité a mi vez.

—¿Puedes hacerme el favor de buscar en el cuarto de Raquel, a ver si lo encuentras?

—Pero Raquel se pone furiosa si me meto a su cuarto, mamá —repliqué.

—Ésta es una excepción —clamó—. Yo te lo pido. Por favor.

—Está bien.

Me levanté y fui a la habitación de Raquel. "¿Para qué estoy haciendo esto?", me dije. Si yo sabía perfectamente bien dónde estaba Raquel; no, por cierto, en casa de Ema.

Pero estaba actuando como un personaje en una obra de teatro, no como yo mismo. La situación escapaba a mi control. Mamá quería que yo le consiguiera el número de Ema, así que me disponía a conseguirle ese número. El hecho de que Ema no fuera a tener la menor idea del paradero de Raquel, carecía de importancia.

El cuarto de Raquel es el mismísimo infierno. No es que yo sea la persona más ordenada del mundo, pero cuando menos no soy un desastre total. Apenas se puede caminar por el cuarto, de tantas cosas que hay tiradas por el suelo: zapatos, ropa, libros de la escuela, su raqueta de tenis, revistas, casetes. El cuarto de Raquel parece una tienda en barata donde no se paró nadie.

Sabía dónde encontrar el número de Ema: en la agenda de Raquel. ¿Pero, y ésta? Decidí buscar en su escritorio. Había un altero enorme de fotocopias de trabajos de la escuela, cartas, una colección de tarjetas de felicitación de hacía tres meses, un repugnante corazón de manzana cafetoso, pero nada había de la agenda. Busqué en los cajones del escritorio, en el librero, en su mochila (que no se había molestado en llevar a la escuela esa mañana), en su clóset, donde guardaba su ropa.

—¿Ya lo encontraste? —gritó mi mamá por el cubo de las escaleras.

—Todavía no —grité a mi vez.

Decidí mirar bajo la cama. Debajo de la cama de Raquel hay siempre una cantidad asombrosa de cosas. Me agaché e hice a un lado la colcha. Había montones de polvo y pelusa allí abajo, uno de los pijamas de Raquel y un libro de la biblioteca que le había valido recordatorios de devolución desde hacía meses. Ella insistía en que ya lo había devuelto. Y había una bolsa de plástico. La saqué de debajo de la cama y la abrí.

"¡Qué raro!", me dije. Dentro no había más que un pedazo de tubo de hule, como del largo de mi brazo, y una botella de detergente vacía, de las que se apachurran. Me pregunté para qué querría eso. Los metí de nuevo en la bolsa y la devolví a su sitio bajo la cama. Luego me incorporé.

—No lo encuentro —grité.

—Ahora subo a buscarlo yo misma —gritó mamá.

Me di cuenta de que aquello estaba yendo demasiado lejos. No tenía sentido que se pusiera a buscar el número del teléfono de Ema, como tampoco lo tenía que yo lo hiciera. Iba a tener que decirle lo que sabía.

Se abrió la puerta de la habitación y mi mamá se quedó de pie en el umbral, mirando en torno suyo.

—¡Dios mío! —exclamó—. Este cuarto está hecho un tiradero —se volvió hacia mí—. ¿Dónde buscaste?

—Por todas partes, mamá, pero mira...

—¿Buscaste bien?

—Sí, pero no creo que tenga ningún caso.

—Ya sé cómo buscas tú las cosas —dijo—: recoges algunos papeles, los revuelves un poco y si lo que buscas no te cae en las manos dices que no lo encuentras.

—Busqué bien, mamá, de veras. Lo que pasa es que no creo que tenga ningún caso llamar a Ema.

—Por supuesto que tiene caso. Quiero saber dónde se ha metido Raquel. Ya es muy tarde.

—Yo sólo te digo que no vas a encontrarla en casa de Ema.

—¿Entonces, dónde está?

El susto me impedía decírselo. Recordé un cuento que habíamos leído alguna vez en la escuela, de un mensajero que tenía que dar una noticia nefasta a un rey. El mensajero estaba tan asustado que no podía ni hablar. El rey prometió no hacerle daño si le decía lo que había ocurrido. El mensajero le dio la noticia: el hijo del rey había sido asesinado. El rey montó en cólera, desenvainó su espada y mató al mensajero. Me sentí un poco en los zapatos de aquel mensajero.

—Tengo que decirte algo, mamá —empecé.

—Sí, ¿de qué se trata? —repuso con impaciencia.

En realidad no tenía ganas de oír lo que yo iba a decirle. Noté cómo sus ojos se paseaban sin reposo por la habitación. Probablemente estaba pensando en el apabullante tiradero en que estaba convertida y en cómo iba a obligar a Raquel a poner todo en orden en cuanto llegara a casa.

—Se trata de Raquel —dije.

—¿Qué pasa con ella? —dijo mamá.

—Hace una hora yo no sabía esto que voy a contarte —aclaré—. Fue cuando *Berna* me llamó por teléfono y me dijo que había estado mirando las noticias...

Llamaron a la puerta.

—Debe ser ella —dijo mi mamá.

Se dio media vuelta, abrió la puerta y corrió escaleras abajo.

"Pues yo traté de decírselo", me dije. Pero no me había esforzado mucho, bien lo sabía. Mamá se iba a poner como loca cuando viera a la policía.

Salí de la habitación y bajé tras ella. A media escalera, vi que abría la puerta.

—Raquel —exclamó enojada—, ¿dónde demonios te habías metido?

Mi hermana estaba allí de pie, con su cara de siempre. No se veía ninguna luz azul intermitente.

—En casa de Ema, por supuesto —dijo—. Ojalá no se hayan preocupado. ❖

Capítulo 14

❖ BERNA ACOMODÓ la raqueta detrás de su cabeza, lanzó al aire la pelota, dio impulso a la raqueta y envió la pelota a la mitad de la red.

—Tira más alto la pelota —le aconsejé.

Berna asintió. Del bolsillo de sus *shorts* sacó otra pelota. Los *shorts* que usaba *Berna* le quedaban siempre grandes. Lo hacían parecerse a Charlie Chaplin. Su mamá era quien se los compraba, al parecer con la idea de que al comprárselos dos tallas más grandes lograría de algún modo que él creciera hasta llenarlos. Nunca sucedió tal cosa.

Berna acomodó la raqueta detrás de su cabeza, lanzó al aire la pelota, exactamente a la misma altura que la primera, dio impulso a la raqueta y envió la pelota a la mitad de la red.

—Cero-quince —dijo. Caminó hacia la red y recogió las dos pelotas de tenis.

—Oye —le dije, acercándome a la red para hablar con él—. No estás tirando la bola con suficiente altura. Nunca conseguirás hacerla pasar por encima de la red si no la tiras más alto.

—Ya lo sé —repuso *Berna*.

Cogió las dos pelotas, retacó una de ellas en el bolsillo de sus *shorts* y regresó al fondo de la cancha.

Acceder a ser pareja de *Berna* para jugar al tenis era un acto de auténtica amistad. No es sólo que no tuviera remedio; estaba además su perseverancia: no mejoraba un ápice pero no se rendía nunca.

Se puso nuevamente en posición de servir; hizo el movimiento para arrojar al aire la pelota, pero se detuvo. Miró cuidadosamente sus pies, los estudió un momento, luego los cambió imperceptiblemente de posición. Satisfecho, lanzó una vez más al aire la pelota y la sepultó en la red.

Yo había hecho el intento de sugerir que nos limitáramos a pelotear; concentrarnos en pasar la bola por encima de la red sin preocuparnos por llevar la cuenta. *Berna* no hizo caso. Quería jugar según las reglas. Un juego tras otro, cantaba los puntos en su contra sin omisiones. Era como un perro que lleva a su amo el periódico embarrado de saliva, tras haberlo masticado hasta reducirlo a pulpa. Qué importaba si el intento resultaba en un desastre. *Berna* se empeñaba en hacer las cosas como se debe.

Me vi obligado a salir de mis ensoñaciones cuando el segundo servicio de *Berna* cayó en terreno bueno, muy cerca de mí. ¡Por fin conseguía meter una bola! La devolví con cuidado dirigiéndola hacia su lado derecho. Quizá jugaríamos un poco. *Berna* corrrió hacia la pelota con un gesto de enorme ansiedad pintado en el rostro. Me miró. Miró la red. Abanicó la raqueta. Erró el golpe.

—Cero-treinta —dijo en voz alta. Se dio vuelta y fue tras la bola.

—Muy buen saque —lo alenté.

Berna asintió. Recogió la pelota y se alistó para servir de nueva cuenta. Se detuvo.

—Sin duda alguna era tu hermana —me dijo.

—¿Cómo? —repliqué.

—La del noticiario de anoche —aclaró—. Sin duda se trataba de Raquel.

—Te creo —repuse.

—Yo jamás inventaría algo así —protestó.

—Sé que no lo harías —dije.

Berna sacó. La pelota pasó sobre la red pero no cayó ni remotamente cerca del área de saque. Me hice el desentendido y la devolví.

—¡Fuera! —cantó *Berna*. Cogió su segunda bola y la estrelló en la red—. Cuarenta-cero —dijo.

—Cuando hablé con ella, más tarde aquella noche, Raquel negó saber algo de la protesta afuera de la peletería.

—¿Y qué dijo cuando le dijiste que yo la vi en la tele? —me preguntó *Berna*.

—Dijo que seguramente no tenías puestos los anteojos.

Berna pareció ofenderse.

—Yo le dije que seguramente sí los tendrías puestos —añadí.

—No los tenía —repuso.

—¿No?

—Pero era ella, de veras.

—Te creo, *Berna*.

—¿Seguro?

—Claro que sí.

Berna lanzó la bola hacia arriba y la golpeó. Salió hacia un lado, rumbo a la cancha contigua. Extrajo la segunda de su bolsillo y sacó. Cayó en terreno bueno.

La devolví despacio y bien colocada.

Berna corrió hacia la bola y le dio con todas sus fuerzas. Salió despedida fuera de la cancha. Él llegó hasta la red, jadeando.

—Juego tuyo —dijo.

—Descansemos un rato —sugerí.

Berna me miró desilusionado.

—Estoy muerto —expliqué.

—Está bien —accedió.

Nos sentamos en una banca a un lado de la cancha. *Berna* se quitó los anteojos y los limpió cuidadosamente con el faldón de su playera.

—*Berna* —le pregunté—, ¿qué harías tú con un pedazo de tubo de hule, más o menos del largo de mi brazo, y con una botella de detergente vacía?

—¿Te burlas de mí? —inquirió, colocándose de nuevo los anteojos.

—No —le dije—. Va en serio.

—No sé qué haría con ellos. ¿Por qué me lo preguntas?

—Los encontré debajo de la cama de Raquel, dentro de una bolsa de plástico.

—Probablemente los necesite para la escuela. Digo: para la clase de ciencias o algo así.

—Tal vez —repuse—. No sé por qué me dio la impresión de que no quería que yo los viera; de que estaban escondidos.

Berna se encogió de hombros.

—De Raquel nada me sorprendería —comentó.

—¿Tan rara te parece? —le pregunté.

Berna dejó escapar un suspiro.

—Me llevas ventaja —expuso—. Tú tienes un conocimiento de primera mano de cómo se comportan las chicas. Yo tengo que tratar de adivinarlo desde lejos.

—No creo que Raquel sea típica —le dije.

—Quizá no —convino.

Miró hacia una de las otras canchas, donde Peter Rifaat y Stuart Hall sostenían un partido muy reñido.

—¿Qué vas a hacer respecto a Stuart? —me preguntó.

—¿Qué puedo hacer? —repuse.

Esa mañana, durante la clase de matemáticas, descubrí que alguien había arrancado la pasta de mi libro. Se lo dije a la señora Aske. Además de ser la directora, nos da matemáticas.

—Deberías tener más cuidado con tus libros de la escuela —me contestó.

—¡Yo no lo hice! —protesté.

—¿Entonces quién fue?

—No lo sé, *miss*.

—Ajá.

—Tampoco está mi pluma —añadí.

—¿Se te perdió tu pluma? —repitió con un tono de voz que subrayaba el enorme esfuerzo que estaba haciendo por no perder la paciencia—. ¿Estás seguro? ¿No será que olvidaste traer una pluma a la escuela?

—Estoy seguro, *miss*.

—Ten —me dió una *Bic*—. Te la presto por hoy.

De nada servía decirle que yo sabía que Stuart Hall me la había robado. No tenía pruebas y en cualquier caso, ella no hubiese hecho nada al respecto.

Terminada la clase, *Berna* y yo íbamos caminando por el pasillo cuando Stuart Hall se nos acercó por detrás. Me dio un caballazo y me tiró al suelo.

—¡Oye! fíjate por dónde caminas —le gritó *Berna* furioso mientras yo me incorporaba y sacudía el polvo de mi ropa.

Stuart rió y se alejó como si nada.

En la otra cancha de tenis Stuart acababa de ganarle un juego a Peter. Empuñó la mano y golpeó al aire, luego se volvió para ver quién lo había visto.

—A lo mejor se aburre de molestarte —comentó *Berna*.

—A lo mejor —repuse. Pero por alguna razón no lo creía.

—¿Jugamos un último juego? —propuso *Berna*.

—Bueno —dije.

Me levanté de la banca. *Berna* me dio las pelotas.

—Tú sacas —dijo. ❖

Capítulo 15

❖ —ME GANASTE TODOS los juegos —comentó *Berna* cuando nos dirigíamos a los vestidores. Al decírmelo meneaba la cabeza, como alguien que, por más esfuerzos, no consigue desentrañar cuál puede ser el arma secreta de su oponente.

—No tiene importancia —repuse—. Estás jugando cada día mejor.

—¿Tú crees? —me preguntó.

—Definitivamente —le aseguré.

Se animó un poco.

—¿Has visto a Elizabeth últimamente? —me preguntó.

—No —dije—. Sólo la veo los fines de semana.

—¿La verás este fin de semana?

—No estoy seguro —repuse—. Mi mamá va a salir. No sé qué planes haya para mí.

Mi mamá se había salido con la suya. Se había plantado en que ella iba a irse con Linda le gustara o no a mi papá. De momento apenas se hablaban, salvo cuando era estrictamente necesario, por ello nadie había insistido demasiado en indagar los movimientos de Raquel. Excepto un servidor.

Entramos al vestidor de los hombres. Dentro, todo era niebla por el vapor que se desprendía de las regaderas. Las ventanas eran pequeñas y estaban situadas cerca del techo, de manera que el lugar estaba permanentemente en penumbra. Algunos chicos ya estaban vistiéndose; otros reían o hablaban a gritos en las regaderas. Podía oír a Peter Rifaat imitando a un cantante de ópera. El señor Hale, el instructor de deportes, abrió la puerta y asomó la cabeza.

—No hagan tanto escándalo —dijo, y desapareció.

Nos quitamos la ropa de tenis y, toalla en mano, nos dirigimos hacia las regaderas. *Berna* chilló cuando se metió bajo el chorro de agua.

—Está helada —gritó.

Yo también me metí al agua. No estaba tan fría como para justificar los aspavientos de *Berna*; pero tampoco muy caliente que digamos. *Berna* aguantó sólo el tiempo indispensable para mojarse. Enseguida salió de un salto y pescó su toalla.

—Siempre lo mismo: o está hirviendo, o está helada —se quejó.

Yo me bañé a conciencia. Una vez acostumbrándose, no era desagradable.

—Apúrate —me urgió *Berna*—. Vas a llegar tarde a la siguiente clase.

Me salí y cogí mi toalla.

—Creí que ibas a quedarte ahí dentro para siempre —comentó *Berna*.

Nos abrimos paso entre la multitud de chicos a medio vestir hasta donde habíamos dejado nuestra ropa.

—El señor Hale tiene regadera privada —dijo *Berna*—. Puede regular a su antojo la temperatura del agua.

Cuando estábamos cerca de nuestros respectivos montones de ropa dejé de prestarle atención. Observé mi camisa, que había dejado colgada de un gancho.

—También nosotros deberíamos tener cada uno su regadera —decía *Berna*—. Las regaderas colectivas son francamente indignas.

—No puede ser —dije yo.

De pronto, *Berna* cayó en la cuenta de que yo no le hacía caso.

—¿Qué te pasa? —me preguntó.

—Mi camisa —expliqué.

—¿Qué tiene?

—Está empapada —la recogí del suelo, estaba escurriendo agua.

—¿Qué pasó? —dijo *Berna*.

—¿Qué crees que pasó? —repuse amargamente.

Ambos miramos hacia el extremo opuesto del vestidor, donde Stuart Hall se peinaba y se contemplaba frente al espejo.

Peter le decía algo, moviendo los brazos como si estuviese jugando tenis. Stuart lo miró de soslayo y asintió, como si estuviera de acuerdo. Luego se dio cuenta de que lo veíamos. Su mirada abarcó la camisa mojada y la cara que yo tenía. Sonrió de oreja a oreja, luego volvió a mirarse en el espejo.

—¿Qué vas a hacer? —me preguntó *Berna*.

No contesté. Tenía ganas de llorar. Podía sentir las lágrimas pugnando por salírseme de los ojos.

—¿Quieres que vaya a avisarle al señor Hale? —me preguntó *Berna*.

Negué con la cabeza.

—¿Seguro? —insistió.

—Seguro —repuse.

—No puedes ponértela —dijo *Berna*—. Está empapada.

Tragué con dificultad. Sentí un nudo en la garganta, a punto de convertirse en sollozo. Sentía como si muy dentro de mí hubiera una presa a punto de reventar.

—¿Qué vas a hacer? —volvió a preguntarme *Berna*.

—¿Quieres dejar de preguntarme lo mismo, por favor?

—Está bien —dijo *Berna*, y calculó por un instante—. Qué tal si la exprimimos —sugirió.

—Olvídalo —repuse.

—Entonces, ¿qué vas a...? —se calló.

Cogí mi camisa; metí un brazo en una manga. La sensación fue desagradable: un tacto baboso.

—¿Te la vas a poner? —me dijo *Berna*.

—¿Se te ocurre algo mejor? —le pregunté.

—Yo creo que debíamos decírselo al señor Hale —sostuvo.

—¿Y qué crees que va a hacer? —pregunté.

—No sé —repuso—. Supongo que tomará alguna medida.

—Sí, igual que la señora Aske —le dije—. En otras palabras: nada.

—No puedes ponértela —dijo *Berna*.

Metí el otro brazo en la otra manga. La camisa mojada se me adhirió a los brazos y a la espalda. Tirité de frío. En ese momento, Stuart Hall pasó a mi lado. Se detuvo frente a nosotros.

—¡Ey, miren! —exclamó, señalándome con el dedo—. Mateo Patón se puso un traje de buzo.

Rió a carcajadas. Uno o dos chicos lo imitaron, pero ni uno más. Casi todos deben haber sospechado lo que ocurrió.

Le di la espalda y comence a abotonarme la camisa. Las lágrimas me escurrían por la cara. ❖

Capítulo 16

❖ ESA NOCHE ME senté en mi cuarto a proseguir mi historia. No resulta fácil escribir acerca de los sentimientos. Las historias como las que inventa *Berna*, llenas de programadores locos, son fáciles de escribir, porque ocurre una cosa tras otra. Pero escribir acerca de los sentimientos es distinto. Comoquiera, yo tengo una ventaja, porque desde hace algún tiempo he estado escribiendo a Elizabeth sobre mis sentimientos. Escribí:

> *Elaine tomó asiento en la banca, junto a él; pasó un buen rato sin que ninguno de los dos hablara. Malcolm tenía miedo de hablar. Sabía que una vez iniciada la conversación no habría manera de dar marcha atrás. Hubiera querido que el silencio durara para siempre. Pero nada es para siempre. Por fin, Elaine habló.*
> *—Necesito estar sola por un tiempo, Malcolm —dijo.*
> *Él sabía de antemano que le diría esto, no obstante le dolió.*
> *—¿Me comprendes? —le preguntó Elaine.*
> *Lo único que él entendía es que lo mejor que tenía en la vida*

se desmoronaba, como un castillo de arena ante el embate de las olas, y que no había nada que hacer.

Esa línea del castillo de arena me dejó realmente complacido. En mi cabeza, podía ver claramente la imagen del castillo. Era como los que se ven en los libros, con torres y murallas y una bandera ondeando en lo alto.

La última vez que yo había construido un castillo de arena fue cuando pasamos las vacaciones en Francia. De eso hacía ya más de dos años. Desde entonces, nunca habíamos tenido el dinero para volver. Sin embargo lo recordaba claramente. Fueron unas vacaciones espléndidas. Fuimos a la playa todos los días. Entonces éramos una familia feliz. Mamá y papá no disentían todo el día, como últimamente, y Raquel no era tan temperamental.

De pronto se me antojó ver si encontraba las fotos que tomamos durante aquellas vacaciones. Me levanté y bajé a la sala. Mi mamá estaba sentada en el sofá, viendo la tele. Cogí el álbum de fotos que guardamos en el librero.

—¿Para qué lo quieres? —me preguntó mi mamá.

—Quiero ver las fotos del viaje a Francia —le dije.

—Están en el cajón —me indicó.

—¿Como es que nadie las ha pegado en el álbum? —inquirí.

Se encogió de hombros.

—Nadie se lo ha propuesto —aventuró.

—Pero hace ya dos años de eso —repuse.

—Pues sí. ¿Por qué no las pegas tú mismo? —sugirió.

—Eso voy a hacer —le dije.

Abrí el cajón y estuve hurgando en su interior hasta que encontré un sobre con fotos.

—Deben ser éstas —dije.

Mamá asintió. Habían comenzado las noticias en la tele y estaba atenta escuchándolas.

Subí con las fotos a mi cuarto y las extendí en el suelo. En una estaba Raquel, muy bronceada y haciendo gestos a la cámara. En otra se veía a mi mamá, dormida en la playa. Había varias de mi mamá y Raquel montando a caballo. No encontré ninguna de papá. Seguramente porque era él quien tomaba las fotos, concluí.

En una de ellas aparecía yo, un poco gordo, a mi juicio, junto a un castillo de arena. No tenía nada que ver con el que yo había imaginado. No era más que un montón de arena con algunas conchas incrustadas.

Pegué todas las fotos con mucho cuidado. Luego me pasé horas mirando las demás fotografías. El álbum era la prueba de que éramos lo que se llama una familia. Si nadie más iba a ocuparse de cuidarlo, yo lo haría.

Había una foto, casi al comienzo del álbum, que seguramente tomó mi mamá. Estábamos mi papá, Raquel y yo jugando al *Turista*. Debe haber sido por Navidad, porque se veían adornos colgados de las paredes.

Antes acostumbrábamos jugar muy seguido al *Turista*. Mi papá se lo tomaba muy en serio y siempre ganaba. Por lo general, le encantaba comprar propiedades y amontonarles hoteles encima. Luego, cuando alguien caía en ellas y tenía que pagarle sumas inmensas de dinero, le brillaban los ojos, hacía aspavientos con los brazos y se echaba porras.

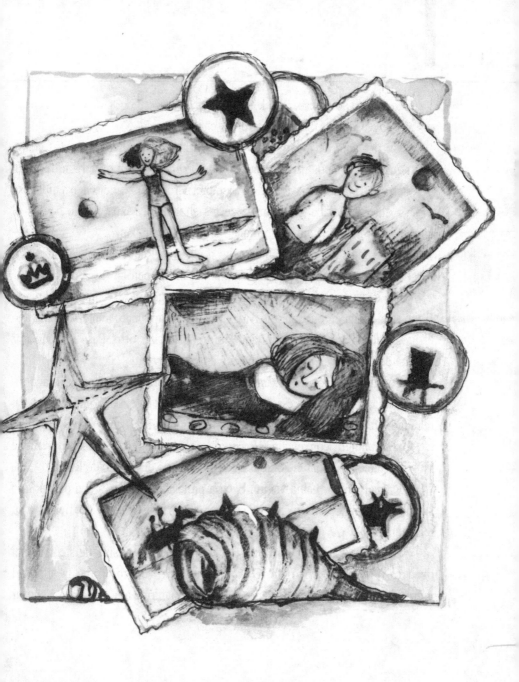

Mi mamá solía reírse de él.

—Oye, si no es dinero de verdad, ¿eh? —le decía.

Un día dejó de jugar. Tenía siempre muchos pendientes en su trabajo. A Raquel y a mí nos dio por jugar con *Berna* un tiempo, pero no era tan divertido. *Berna* no tenía remedio. Siempre perdía. Era demasiado cuidadoso con su dinero. Odiaba gastarlo. Es de los ahorradores innatos que hay en el mundo. A lo mejor de grande termina trabajando en un banco.

Hace años que nadie había vuelto a jugar. A Raquel ya no le interesaba jugar con *Berna* y conmigo. Tenía otras cosas en qué pensar.

Me levanté y fui a los anaqueles donde guardábamos mis juegos de mesa. Hubo una época en que, para Navidad, mamá y papá me compraban cada año el juego de moda. Estaban apilados uno encima del otro. Pasé el dedo por encima del *Juego de la Vida*. Estaba cubierto de polvo.

Por alguna razón, el *Turista* no estaba en su sitio. Revisé con cuidado todas las cajas, pero faltaba ésa. Pensé que debía estar en el cuarto de Raquel. En realidad, era suyo. Se lo habían regalado de cumpleaños. Pero ya nunca lo jugaba. Quizá pudiera convencer a *Berna* de que jugáramos la próxima vez que viniera. Qué tal si había mejorado. Decidí rescatarlo del cuarto de Raquel.

Raquel aún no había vuelto. Estaría protestando frente a una peletería, o si no, con algunos amigos. En cualquier caso, podía entrar sin riesgo a su recámara.

Empujé la puerta y eché un vistazo en torno. Lo mismo de siempre: un tiradero. Pude ver el *Turista*. Estaba encima del ropero. Tomé la silla del escritorio y la puse junto al ropero. A punto de subirme a la silla para alcanzar el *Turista*, recordé algo. ¿Estaría aún la bolsa de plástico bajo la cama de Raquel? Me acerqué a la cama y me asomé debajo. Allí estaba todavía.

Regresé hasta la silla y me trepé en ella. Bajé el *Turista* y devolví la silla a su sitio. Regresé a mi cuarto.

Las fichas del *Turista* son muy graciosas. En vez de rueditas de plástico, como en casi todos los juegos, son figuritas raras: una bota vieja, un barco de guerra, un coche de carreras, un sombrero de copa. *Berna* escogía el barco de guerra y Raquel, siempre, el perro.

Destapé la caja, con ganas de mirar las figuritas. Con sorpresa, me percaté de que dentro había lo que me parecieron varias páginas de periódico dobladas. Estaban encima del tablero y alguien las había puesto ahí evidentemente a propósito.

Tomé una de ellas y la desdoblé. Alguien, al parecer Raquel, había marcado con pluma uno de los artículos. Leí.

ARROJAN ARTEFACTO INCENDIARIO
EN LA CASA DE UN CIENTÍFICO

La policía ha concluido que el incendio ocurrido anoche en la casa de David Anderson, investigador en biología de la Universidad de Oxford, fue provocado intencionalmente.

Los bomberos acudieron a un llamado de los vecinos de la localidad de Wheatley en las primeras horas de la madrugada. Ni el doctor Anderson ni su esposa se encontraban en casa. Según parece, salieron de vacaciones a algún lugar de Cornuailles.

El doctor Anderson es uno de los pocos científicos conocidos del público que experimentan con animales. Ha sido entrevistado para la televisión y es un defensor tenaz de la utilización de animales para propósitos de investigación.

Un vocero de la Universidad declaró: "El doctor Anderson y su esposa pudieron haber muerto. Los responsables de esto seguramente están locos. Desde luego, este hecho no afectará en absoluto los programas de investigación".

Lo dejé a un lado y tomé otro recorte. También hablaba de un ataque con una bomba incendiaria. Lo mismo el siguiente, y el siguiente. Los acomodé como estaban. Luego me senté en mi cama con la caja del *Turista* sobre las piernas y me quedé pensando.

¿Por qué habría recortado Raquel todos estos artículos de los periódicos? ¿Y por qué los habría escondido? Ignoraba la respuesta a estas preguntas, pero empezaba a preocuparme seriamente por Raquel. Después de todo, era mi hermana. Tenía que platicarlo con alguien, pero ¿con quién? ❖

Capítulo 17

❖ EL VIERNES POR LA mañana mi mamá nos despertó temprano.

—Óiganme —nos dijo a Raquel y a mí—. Hice una *quiche* para la noche. La dejé en el refri. Si acaso me necesitan para algo, dejé apuntado el número del hotel donde vamos a hospedarnos en la libreta de recados que está junto al teléfono.

Estaba de pie en medio de la cocina. Junto a ella, en el piso, había una bolsa azul con su equipaje.

—Pero si nada más vas a salir el fin de semana —dijo mi papá—. No creo que antes del lunes vayamos a caer en una crisis mayúscula.

—Por si las dudas —replicó ella.

Mi papá miró la bolsa azul con ojo crítico.

—¿Todo eso es tuyo? —preguntó.

—No llevo gran cosa —repuso ella—; solamente unas cuantas mudas de ropa.

Me percaté de que la casa estaba reluciente. Mamá debió levantarse varias horas antes para hacer la limpieza.

—Linda llegará en unos minutos —dijo—. ¿A nadie se le ofrece algo antes de que llegue?

—¿No crees que estás exagerando? —le dijo mi papá, con el mismo tono de fastidio que empleaba la señora Aske para dirigirse a mí en su oficina.

—No quiero tener que preocuparme por ustedes allá, es todo —le contestó.

—No te preocupes por nosotros —le dijo Raquel—. Estaremos bien.

—Tengo la certeza de que así será —le aseguró mamá—. Regreso el domingo, como a las cuatro, ¿está bien?

Justo entonces, en la calle, se escuchó varias veces el claxon de un coche.

—Debe ser Linda —dijo mamá.

Salió corriendo al vestíbulo, apartó la cortina y se asomó por la ventana.

—Sí, es ella —dijo, al volver a la cocina.

Se la oía nerviosa y también emocionada. Corrió al centro de la habitación y cogió la bolsa azul. Me recordaba a una niña a punto de irse a un paseo de la escuela. Se me acercó corriendo y me dio un beso en la frente.

—Buen fin de semana —la despedí.

—Gracias —repuso. Se acercó a Raquel y también la besó. Luego se detuvo un momento, con cara de que iba a decir algo, pero se arrepintió. Por fin dijo—: Cuídense.

—Tú también —le encomendó Raquel.

Mi mamá se volvió hacia mi papá.

—Adiós, David —le dijo.

—Adiós —contestó él con seguridad. Se quedaron de pie, mirándose por un momento uno al otro. Volvió a oírse el claxon en la calle.

—Ahora sí, ya me voy —dijo mamá. Se dio media vuelta, cruzó el vestíbulo, abrió la puerta y desapareció.

Mi papá permaneció parado en medio de la cocina, como si no supiera qué hacer. Luego se volvió hacia donde estábamos Raquel y yo.

—Ustedes dos, váyanse alistando para irse a la escuela —nos dijo—. Yo me voy a trabajar.

En el autobús de camino a la escuela le conté a *Berna* que mi mamá se había ido a Bristol a pasar el fin de semana.

—Mis papás nunca salen —repuso—. Nunca de los nuncas.

—Salen en vacaciones —le repliqué.

—Qué gran cosa —dijo—. Dos semanas en un tiempo compartido en Escocia.

—Los míos tampoco salen muy seguido —aclaré yo—. Mi mamá estaba tan preocupada que se levantó de madrugada para hacer la limpieza.

—Mis papás son totalmente predecibles —comentó *Berna*—. Jamás hacen nada fuera de lo común.

Se me ocurrió de pronto que lo mismo podía decirse del propio *Berna*.

—¿Te acuerdas de cuando jugábamos al *Turista*? —le pregunté.

—¿Tú, Raquel y yo?

—Ajá —dije—. ¿Te acuerdas de quién perdía casi siempre?

Pensó por un rato.

—Recuerdo que Raquel nos ganó un montón de veces —dijo.

—Y tú casi siempre perdías —comenté.

—Si Raquel ganaba, entonces los dos perdíamos —objetó.

—Ajá, pero en general yo quedaba en segundo lugar.

—No puedes quedar segundo en el *Turista*.

—Claro que sí. Tú siempre eras el primero en salir del juego.

—No puedo haber sido siempre yo —dijo *Berna* con aire ofendido—. El *Turista* depende de cómo caen los dados y eso obedece a las leyes del azar. Así que no puedo haber perdido siempre.

—Pues así era —insistí—. Perdías porque jugabas con excesiva cautela.

—¿Cómo con "excesiva cautela"?

—Siempre jugabas a la segura.

—No sé qué estás tratando de decirme —me reclamó *Berna*. Ahora sí se había molestado.

—Nada —repuse.

—No. Dímelo —insistió, dándose vuelta en el asiento para mirarme a la cara—. Dime lo que estás tratando de insinuarme.

—Sólo intentaba decirte que en ciertas cosas te pareces un poco a tus padres.

—Muchas gracias —dijo amargamente.

—No fue mi intención molestarte —me expliqué.

Me dio la espalda y se asomó por la ventana del autobús.

—Perdóname —le dije.

—No tiene importancia —repuso, pero no sonó muy convencido.

Ninguno de los dos habló durante el resto del trayecto. ❖

Capítulo 18

❖ A LA HORA DE PASAR lista, nuestra profesora titular, la señora Mirza, nos pidió que le entregáramos la tarea de inglés.

—Por la mañana tendremos clase de inglés, *miss* —dijo Peter Rifaat—. Podemos entregarla entonces.

—Por favor, Peter, sólo haz lo que te pido —le dijo *miss* Mirza.

Peter se encogió de hombros.

—Pues no entiendo cuál es el propósito —dijo, mientras entregaba su cuaderno.

El propósito se aclaró un par de horas más tarde, cuando nos tocó clase de inglés. En cuanto llegamos el señor McCaffrey nos devolvió los cuadernos.

—Estuve leyendo sus cuentos. Los encontré muy interesantes —comentó—. Algunos de ustedes hicieron un buen esfuerzo. Quisiera leerles uno o dos.

Todo el mundo puso cara de felicidad, porque ello implicaba que no tendríamos que escribir nada.

—Como sé que se trata de un tema bastante complejo, y en vista de que, en cualquier caso, es bien difícil leer en público sus trabajos —explicó—, me tomé la libertad de fotocopiar los que me interesa leer. No voy a decir quién es el autor.

Sacó un fajo de páginas fotocopiadas de nuestros cuadernos de trabajo. De inmediato, todos comenzaron a estirar el cuello para ver si lograban identificar la letra manuscrita, pero el profesor tuvo el cuidado de sostener las hojas de manera que nadie pudiera ver.

—Si reconocen su trabajo o el de algún otro compañero —prosiguió—, no quiero que lo digan.

—¿Por qué no? —le preguntó Peter Rifaat.

—Porque el propósito de este ejercicio no es jugar a las adivinanzas sino escuchar —dijo—. Una última cosa, antes de que comencemos: el hecho de que yo haya elegido éstos que voy a leer, no significa que sean los mejores. Quiere decir que en cada uno de ellos hay algo que puede sernos útil para reflexionar, ¿está bien?

Empezó a leer: "Harlod Rose miraba la pantalla de su computadora. Movía la cabeza asombrado. 'No es posible', se decía..."

Enseguida supe que era el de *Berna*. Traté de cruzar una mirada con él con el rabillo del ojo, sin voltear para nada la cabeza. Estaba jugueteando con su pluma; la desenroscaba y la volvía a atornillar, fingiendo no tener ningún interés.

Cuando terminó de leer, el profesor hizo algunos comentarios sobre la historia de *Berna*. Pensé que iba a decir que no valía nada, pero no fue así. Dijo que el personaje de Harlod Rose era muy interesante y comentó cómo *Berna* había construido el personaje. Sonaba realmente muy bien.

—¿Alguno de ustedes tiene idea de cómo mejorar esta historia? —preguntó. Susan Brady alzó la mano.

—No veo cuál se supone que sea la relación, profesor —comentó—. No hay más que ese bobo y su computadora.

Yo no había dejado de observar a *Berna* con el rabillo del ojo. Su expresión no cambió un ápice.

—Bueno —dijo el señor McCaffrey—. Supongo que podría afirmarse que existe una relación entre el hombre y su computadora.

—Pero dijo usted que tenía que tratarse de dos personas —protestó Susan.

—Sí, eso dije —admitió el señor McCaffrey—, y ésa es una de las razones por las cuales elegí este trabajo para leérselos. Es muy fácil perder de vista el propósito original de la historia. Uno se deja llevar por lo que está escribiendo. Pero quizá el autor nos sorprenda al introducir otro personaje. En fin, ahora me gustaría leerles otro trabajo.

Revolvió las hojas que tenía delante, se aclaró la garganta y leyó: "Malcolm estaba sentado en la banca del parque, atento a lo que ocurría a su alrededor". Fue como si alguien hubiera enfocado un reflector sobre mí y yo me encontrara ahí sentado, en cueros. Podía sentir cómo se calentaban mis mejillas. "¡No!", pensé, desesperado. "No te ruborices. Te descubrirán enseguida". Traté de forzarme a conservar la calma y mantenerme ecuánime. El señor McCaffrey siguió leyendo. "A esta hora del día el lugar estaba prácticamente desierto. Había un hombre que arrojaba palos a su perro, y una mujer en *shorts* y playera corría por los senderos."

Qué estúpido se oía así, leído en voz alta, y mientras más leía el profesor, peor me parecía. Clavé la vista en la mesa que tenía enfrente y me la quedé mirando sin parpadear. Podía sentir la marejada de la sangre en mi cabeza. No sabía qué hacer con las manos. Me temblaban. Me pesqué del borde de la mesa como si estuviese en peligro de ahogarme.

Me pareció que el señor McCaffrey tardaba cien años en llegar al final de mi cuento y para entonces calculé que prácticamente todos en la clase habrían adivinado que se trataba de mi ejercicio.

Cuando terminó, me percaté de que había estado conteniendo la respiración un buen rato. Exhalé con cuidado, tratando de no hacer ningún ruido. Me solté del borde de la mesa y me apoyé en el respaldo de mi silla.

—¿Lo escribió un chico o una chica? —preguntó Karen.

—Por si lo olvidaron, dije que no se trataba de jugar a las adivinanzas —le recordó el señor McCaffrey—. Se los leí porque me gusta la manera en que el autor se toma su tiempo para contar la historia, adelantando poco a poco y recurriendo a la narración retrospectiva. Entienden a qué me refiero, ¿verdad?

Nos expuso lo que era la narración retrospectiva. "Quizá no está tan mal", me dije. "A lo mejor hasta resulta bueno."

La verdad, no presté mayor atención a lo que siguió de la clase. Estaba absorto en asimilar mi experiencia. El señor McCaffrey leyó unas cuantas historias más y las comentó. Luego nos pidió que continuáramos con nuestras narraciones. Para cuando estuve sentado con la pluma en la mano, releyendo mi historia, la clase estaba a punto de terminar. No me sentía con ganas de continuar redactando en la escuela. Por alguna razón, esta historia debía ser escrita en casa. Me limité a contemplar las palabras. Parecía como si otra persona las hubiese escrito y no yo.

Cuando la clase terminó, fui uno de los últimos en salir del salón. Por lo general, *Berna* me espera para irnos juntos de una clase a otra. Hoy no. Todavía no me perdonaba haberle dicho que se parecía a sus padres.

—Anda, vámonos —me dijo el señor McCaffrey, escoltándome hacia el pasillo. Salí y él cerró la puerta tras de mí y se alejó rumbo a la sala de profesores.

Tuve la sensación de que alguien me observaba. Me di vuelta y resultó que no era sólo una sensación. Karen estaba de pie en el pasillo. Daba la impresión de que me esperaba.

—¿Ese cuento era el tuyo? —me preguntó.

—¿Cuál? —dije. Sentí que otra vez me ponía colorado.

—El de Malcolm y Elaine.

—No —le dije—. No era el mío.

—Ah —repuso como desencantada—. Pensé que podría ser el tuyo.

"¿Por qué tengo que negarlo?", me pregunté. Karen no iba a reírse. No es de ésas. Se veía que no lo era. Comoquiera, no me hacía a la idea de admitir que sí era mi cuento. Sentí ganas de decirle algo, pero no se me ocurrió qué. Se volvió para irse.

—¿Te gustó? —tartamudeé.

—Sí —repuso—. Me pareció realmente bueno.

—Qué bien —comenté.

Entonces ella sonrió. Sus facciones eran de lo más común y corriente, cuando menos es lo que yo siempre había pensado. Pero, cuando sonreía, su

expresión cambiaba mucho. Se parecía entonces a la clase de gente que a uno le gustaría contar entre sus amigos.

—Más vale que nos vayamos —dijo—; si no, vamos a llegar tarde a matemáticas.

—¡Nooo! —exclamé—. Otra vez Aske.

Lo dije automáticamente. Me daba igual qué clase siguiera. Pensaba en lo que acababa de decirme Karen. Había sido una estupidez decir que no era mi cuento. En su voz había desilusión. ¿Sería porque no había sido mi historia, o porque yo había fingido que no era la mía? Con seguridad supo que mentía. Me sentí terriblemente confundido.

"Pero le gustó", me dije. Dijo que era realmente buena. Y esa sonrisa...

Me quedé parado a medio pasillo tratando de entender mis sentimientos. El impulso de alcanzarla y decirle alguna otra cosa era súper fuerte. Pero no cedí. Entre otras cosas porque no se me ocuría nada más que decirle. Y además, porque me percaté de que una ancha sonrisa adornaba mi cara. Digo: sonreía porque a ella le había gustado mi cuento, ¿o no? Sin embargo, al mismo tiempo que me preguntaba lo anterior, otra voz dentro de mí me decía que el motivo de mi sonrisa es que yo le gustaba.

Me encogí de hombros. Era un misterio. Quizá pudiera desenredarlo más tarde. Por lo pronto, tenía que hacerle frente la clase de matemáticas y no había tiempo qué perder. Me di la vuelta y caminé por el pasillo tras los pasos de Karen. ❖

Capítulo 19

❖ ESE DÍA EN LA escuela fue, digamos, mezclado. Quizá Karen decidió que yo le gustaba; pero eso dejaba las cosas uno a favor, dos en contra. *Berna* seguía sentido de que yo hubiera dicho que era como sus padres. Y Stuart Hall culminó su mañana tirando al piso mi libro de ciencias y pasándole por encima. Cuando lo recogí del suelo, ostentaba una huella sucia del tamaño de toda la portada.

Creí que *Berna* habría olvidado nuestra disputa para la hora del almuerzo. Pero me equivoqué. Después de clases me acerqué a hablarle, pero se comportó como si no me hubiese visto y se alejó en la dirección opuesta. "Está bien", pensé para mis adentros. "Como tú quieras."

Entró al comedor delante de mí y se sentó en una mesa distinta a la que solíamos ocupar, con unos muchachos conocidos suyos del club de cómputo. No lo busqué. Pedí mi almuerzo. Luego eché una ojeada cuidadosa para ver dónde se había sentado Stuart. Aún no llegaba. Cogí mi bandeja y fui a sentarme solo.

Localizar a Stuart empezaba a convertírseme en una especie de acto reflejo. Tenía que estar siempre en guardia. Ponerme una zancadilla cuando llevaba mi bandeja de comida era exactamente el tipo de cosa que Stuart disfrutaría enormemente.

Una vez, en filas, nos contaron la historia de un tipo llamado Damocles. Damocles se quejaba de la vida regalada que llevaba el rey, yendo de aquí para allá en su palacio, vestido con las más finas ropas y alimentándose de los manjares más suculentos. El rey se enteró de lo que Damocles decía y lo convidó a un banquete. Lo hizo sentarse en el sitio de honor, le hizo servir toda clase de platillos y bebidas; pero todo el tiempo, colgada encima de su cabeza, hubo una espada sostenida por un hilo delgadísimo. Damocles no pudo disfrutar el festín ni un instante. No dejaba de voltear a ver la espada, aterrado de que el hilo pudiera romperse.

La historia pretendía enseñarnos qué se siente ser un rey de verdad; cómo no es posible estar tranquilo ni pasarla bien porque siempre se tienen preocupaciones. Cuando la señora Aske nos la contó, no logró convencerme. Me seguía pareciendo mejor ser un rey que un don nadie.

Sin embargo, así es como me sentía yo en el comedor. Siempre con ese temor presente entre mis pensamientos: que Stuart fuera a hacerme algo desagradable. Se me dificultaba pensar en alguna otra cosa.

Imaginaba una escena en la que, en lugar de limitarme a recoger mi libro de ciencias y a sacudirlo, como lo hice por la mañana, decía: "Muy bien, Stuart, ya me cansé". Entonces, me colocaba en una posición de karate. Stuart se reía porque ignoraba que yo había estado aprendiendo artes marciales en secreto durante varios años. Trataba de golpearme pero yo lo esquivaba agachándome hacia un lado. Mi mano se movía como un relámpago al propinarle un karatazo en el puño. Él gritaba y retrocedía tropezándose, con expresión de azoro. Entonces yo lo alcanzaba y lo tocaba en el cogote. Se trataba de una presión a un nervio, conocida sólo por unos cuantos. Quedaba paralizado por el dolor.

—¿Dónde quedó tu amigo *Berna*?

—¿Eh?

Levanté la vista sorprendido. Karen estaba allí de pie, sosteniendo su bandeja.

—Olvídalo —dijo, y tomó asiento frente a mí.

—Ah, *Berna* —repuse, cuando por fin mi cabeza aterrizó en el mundo real—. Se sentó por allá —señalé vagamente en su dirección.

—¿No te importa si me siento aquí? —preguntó.

—No —dije sorprendido—. Claro que no.

—Andabas quién sabe dónde —comentó.

—Sí, creo que sí —convine.

Por un rato, comimos en silencio. Yo trataba de imaginar qué querría ella que yo le dijera. Es curioso, pero nunca había notado los silencios en la conversación cuando estaba con *Berna*. Comíamos unos bocados, platicábamos un poco y comíamos algo más. Pero con Karen no podía dejar de pensar en que debería estar contándole algo. Y mientras más se prolongaba el silencio, más se me dificultaba pensar qué contarle.

Fue Karen la que habló primero.

—¿Todavía te trae de encargo Stuart? —me preguntó.

—No sé —repuse—. Quizá.

—Debías hacer algo al respecto —me dijo.

—¿Como qué?

—¿Ya les contaste a tus padres?

—La verdad, no —repuse.

—Deberías hacerlo.

—No es tan fácil comunicarme con ellos —le expliqué.

—¿Cómo que "comunicarte con ellos"? —me preguntó.

Me encogí de hombros.

—Es que siempre tienen algo qué hacer —dije.

Se hizo otro silencio prolongado. Empecé a comer mi postre. Karen tomó la jarra con agua y se sirvió.

—¿Quieres? —me ofreció.

Negué con la cabeza.

—No, gracias —dije.

Seguimos comiendo nuestro postre. Yo pugnaba desesperadamente por pensar en algo qué decir. Mi incapacidad para conversar me hacía sentirme de lo más estúpido. Por fin se me ocurrió una idea.

—¿Cómo son tus padres? —le pregunté.

El tema me pareció muy poco apasionante, pero era un principio de conversación. Karen se quedó pensando un momento.

—Vivo con mi mamá —me contestó—. Nos llevamos muy bien.

—¿Y tú papá? —le pregunté.

—Se separaron hace tres años. Lo veo una vez al mes. Ahora vive en Londres.

Yo quería que me dijera más cosas: cómo se habían separado sus padres y qué había sentido ella. Pero bebió lo que le quedaba de agua y se puso de pie.

—Nos vemos luego —se despidió.

Como siempre, fui el primero en llegar a casa. Entré, dejé mi mochila tirada en el vestíbulo, colgué mi abrigo en el barandal de la escalera y fui a procurarme algo de beber.

La casa parecía más vacía que de costumbre, como si supiera que mi mamá iba a estar fuera el fin de semana. De pie en la cocina, bebí un poco de jugo de naranja directo del envase. Estaba tan helado que me provocó un escalofrío. Lo devolví a su sitio y cerré la puerta del refri. El ruido de la puerta al cerrarse resonó por toda la casa.

Fui a la sala; me tiré en el piso y encendí la tele. Había una caricatura estúpida de unos chícharos que vivían en una vaina al fondo de un jardín. Un día encontraban un huevo abandonado por una pájara y decidían empollarlo. Estuve mirándola un rato, pero era tan mala que no pude soportarla por mucho tiempo.

En el siguiente canal había una vieja película de guerra, francamente aburrida. Probé el canal siguiente: dibujos animados de un perro que daba la vuelta al mundo en un globo aerostático. Apagué la tele. Resolví mejor ponerme a hacer mi tarea.

Para la clase de ciencias teníamos que describir cómo funciona un horno de fundición y dibujar un diagrama. No sé para qué. En mi opinión, era muy poco probable que alguno de nosotros trabajara algún día en uno de ellos.

Saqué pluma, lápiz, regla y goma, y puse manos a la obra.

A las cinco llegó Raquel. Pasó por encima de mí, volvió a encender la tele, recorrió todos los canales y la apagó una vez más.

—Podría haberte ahorrado la molestia —le dije.

No contestó. Salió de la habitación. Minutos más tarde oí correr el agua en el baño.

Tenía ganas de preguntarle por los recortes de periódico que había encontrado en la caja del *Turista*, pero no iba a ser nada fácil. Tendría que decirle que me había metido a su cuarto y muy probablemente enloqueciera al enterarse. Sólo pensarlo me hizo suspirar. Tratar con ella se había vuelto muy difícil de un tiempo a la fecha. Comoquiera, ahora tenía que esperar a que saliera del baño. Volví a mi diagrama.

Raquel aún no había salido del baño cuando llegó papá.

—Llegaste temprano —lo saludé.

—Tengo que volver al trabajo en un rato —comentó—. Sólo vine a ver cómo van las cosas por aquí.

—Muy bien —le dije—. ¿Para qué tienes que regresar?

—Ya te imaginarás —repuso—. Cosas que tengo que terminar.

Se sentó en el sofá y miró mi diagrama.

—¿Qué tal la escuela últimamente? —me preguntó.

—Bien —contesté.

Tenía una cara rara. Como si algo le doliera.

—¿Te duele la cabeza? —le pregunté.

A mi papá siempre le duele la cabeza.

Denegó con la cabeza.

—¿Cómo vas en francés? —me preguntó.

—Bien —repuse.

—¿Ya no has tenido problemas con la maestra suplente?

—¡Papá, eso fue en primero!

Cuando apenas llevaba unos meses en la escuela, llegó una maestra suplente para la clase de francés a la que no le simpaticé. Mandó una carta a mis padres y mi mamá fue a la escuela para hablar con ella.

—¿De verdad hace tanto de eso? —dijo papá.

No contesté. Si quería decir tonterías, allá él.

—Ya sé que no me intereso por cómo vas en la escuela —dijo.

La expresión de dolor que tenía se le acentuó.

—Yo no dije eso —aclaré.

—No hace falta. Yo sé que es verdad —insistió—. Lo que pasa es que he estado muy ocupado.

—Sí, lo sé —repuse.

"¿Por qué de repente se habrá puesto en este plan?", me pregunté. Como si se sintiera horriblemente culpable por no hacerme caso.

—¿Pero todo va bien? —inquirió.

—Todo va bien —afirmé.

Pareció un poco más contento, como si algo lo hubiera tranquilizado.

—Muy bien —dijo—. Escúchame, quizá no vuelva a casa hasta muy tarde, así que cuídense, ¿eh?

—Papá, ya tengo trece años —le recordé.

—Ya lo sé —replicó—. Pero no vaya a ser, ¿eh?

—Está bien —repuse.

—Voy a darme un baño y a rasurarme —dijo.

—Raquel está en el baño —le informé.

—Pues entonces tendrá que darse prisa —sentenció.

Se dirigió a la puerta de la habitación y regresó enseguida.

—Tu mamá dejó una *quiche* en el refri —añadió.

—Ya lo sé —le dije.

—Bueno.

Se dio media vuelta y salió. Llevaba los hombros caídos y no había dejado de fruncir el ceño con determinación. Parecía un hombre preocupado. ❖

Capítulo 20

❖ PAPÁ SE BAÑÓ. Luego bajó y se puso a ver las noticias. Después peló unas cuantas papas y las puso en agua.

—Hay chícharos en el refrigerador —dijo.

—¿No vas a cenar algo? —le pregunté.

—No tengo tiempo —repuso.

—¿A qué hora regresas? —le pregunté.

—Tarde —me dijo.

Salió de casa como si estuviera a punto de perder el tren.

Puse las papas a cocer. Luego fui a la sala. Raquel estaba viendo la tele. Me senté frente a ella.

—Cogí el *Turista* de tu habitación el otro día —le dije.

Sus ojos giraron, alejándose de la pantalla hasta posarse en mí.

—¿Quién te dio permiso para entrar en mi cuarto? —me interrogó.

—Quería jugar al *Turista*.

—¿Tú solo?

—Bueno, quería verlo.

—No tienes derecho de entrar en mi cuarto. Ese *Turista* es mío.

—Jamás lo juegas.

—¿Y qué tiene? De todos modos es mío.

—Sólo quería mirarlo.

—Pues debiste haberme pedido permiso.

Apagó la tele y se levantó para salir.

—¿Por qué pusiste ahí esos recortes de periódico? —le pregunté.

Se detuvo en seco y me echó una mirada amenazadora.

—No te metas en lo que no te importa.

—Es que se me hizo medio raro, nada más.

—Si tanto te interesa, son para un trabajo que estoy haciendo.

—Está bien, pues.

—¿Ah, sí? —dijo con sarcasmo—. Pues muchas gracias por concederme el permiso.

—Caray, últimamente estás insoportable —le dije.

—¿Y tú no?

—No tanto como tú.

—Eso es cuestión de opiniones.

Subió rápidamente las escaleras.

Prendí de nuevo la tele. Pasaban una telenovela. A medias la vi y a medias pensé en Raquel. Nunca antes se había comportado así. Siempre le gustó recordarme que ella era la mayor de los dos y por tanto, yo debía obedecerla. Pero antes no solía ser tan difícil entenderse con ella. Ahora era peor que hablar con la señora Aske.

Un rato después fui a supervisar la cena. Hundí un cuchillo en las papas. Estaban casi listas. Puse a calentar agua en una olla para guisar los chícharos. Luego saqué dos platos, dos juegos de tenedor y cuchillo, sal y pimienta.

Estaba echando los chícharos en el agua hirviendo cuando Raquel entró en la cocina. Se había puesto el abrigo.

—No te molestes en servirme —dijo—. Voy a salir.

—Si ya está listo —repuse.

—No quiero —insistió—. La *quiche* es de carne.

—No. Tiene solamente tocino —aclaré.

Se me quedó mirando como si fuera un tonto.

—El tocino es carne —puntualizó.

—Ya lo sé —repuse—. Pero tú siempre has comido tocino.

—Pues ya no —dijo.

—Entonces sírvete papas y chícharos —sugerí.

—No se me antoja nada —insistió.

—Allá tú —le dije.

Devolví su plato a la alacena y sus cubiertos al cajón.

—¿Te parece correcto salir esta noche? —le pregunté.

—¿Y por qué no?

—Pues como mamá y papá no están...

—Ya no eres un bebé —repuso.

—No es por eso.

—Entonces, ¿cuál es el problema?

—Pues yo creo que debiste haberles pedido permiso.

—Tengo dieciséis años, Mateo. No soy una niña.

Yo tenía mis dudas al respecto, pero no lo manifesté.

—Cuando menos, dime a dónde vas —le pedí.

—A una fiesta.

—¿Dónde?

—Óyeme. ¿De qué se trata? ¿Es un interrogatorio?

—Por si vuelve papá y quiere saber dónde fuiste.

—Él no nos dijo adónde iba.

—Regresó a su oficina.

Raquel meneó la cabeza.

—A veces eres increíble —dijo.

—¿Qué quieres decir con eso? —le pregunté.

—Nada —repuso.

Salió al vestíbulo, donde estaba el teléfono, y apuntó una dirección en la libreta de recados.

—¿Contento? —preguntó en tanto levantaba la vista.

—Sí.

—No te desveles por mí —dijo con sarcasmo.

—No te preocupes, no lo haré —repuse, pero ya ella había cerrado la puerta.

"Menos burros, más olotes", me dije, volviéndome hacia la estufa. Apagué la hornilla donde estaban las papas y les tiré el agua. Hice lo mismo con los chícharos. Saqué la *quiche* del horno y puse todo sobre la mesa, frente a mí; pero por alguna razón se me había quitado el hambre.

Raquel nunca ha sido de las que se ponen toneladas de maquillaje y un vestido de lentejuelas para salir por la noche. No era su estilo. De todos modos me parecía que habría estado un poco mejor arreglada si de verdad fuera a una fiesta.

Eché mi silla hacia atrás y me levanté. Las patas rasparon contra el piso haciendo un ruido cavernoso. Comenzaba a sentir algo frío en la boca del estómago.

Me dirigí al vestíbulo y leí lo que había escrito Raquel en la libreta de recados: Calle Salborne, 92. Fui a la sala, abrí el cajón del escritorio y estuve hurgando en su interior hasta encontrar el mapa de carreteras. Lo abrí en el índice. No había ninguna calle Salborne. Lo revisé cuidadosamente, repasándolo tres veces. Había una calle Selbourne. Quizá me había equivocado al leer. Regresé a ver la libreta. No, definitivamente, Raquel había escrito Salborne.

"Bueno, ¿y eso qué?", me dije. "O no supo escribirlo o no quiere que sepas a dónde fue. ¡Qué novedad!" De cualquier modo yo estaba preocupado. Se me había metido en la cabeza que Raquel volvería a la tienda de pieles. Quizá esta vez sí sería arrestada. Me senté en el sofá. "Tranquilízate", me dije. "Ni siquiera es tu responsabilidad. Si Raquel quiere que la arresten, allá ella. Total, probablemente te estás angustiando más de la cuenta porque estás solo y no tienes a quién contárselo. Es asunto de Raquel."

Volví a la cocina. Me senté de nuevo, corté una rebanadita de la *quiche* y la puse en mi plato. Luego cuchareé un par de papitas y unos cuantos chícharos. Les puse mantequilla y un poco de sal a las papas. Decidí que seguramente debía tener hambre, aunque no la sintiera. Probé un bocado de la *quiche*. Nada mal.

Pensé en lo que Raquel me había dicho de los recortes de periódico. Quizá sí fueran para un trabajo. Pero entonces, ¿por qué los había escondido? Comí otro bocado de la *quiche* y enseguida alejé mi plato. No podía concentrarme en comer. Había algo en mi cabeza que me exigía prestarle atención. Mi cerebro trataba de decirme algo.

—Está bien —dije en voz alta—. ¿Qué quieres?

Pensé que cualquiera que me oyera hablándome así, a mí mismo, habría pensado que eyo staba loco. Pero me sentí mejor.

—Son las siete en punto —me dije—. Seguramente la tienda de pieles ha cerrado ya. ¿Qué objeto tiene permanecer de pie allí afuera protestando?

Era un buen argumento. Claro que podrían estar montando una guardia nocturna. Es el tipo de cosas que haría Raquel. Pero mi cabeza opinaba diferente; tenía otra interpretación, aunque yo no conseguía averiguar cuál. Era como tratar de recordar un sueño cuando te acabas de despertar. Mientras más te esfuerzas, más difícil parece. Estaba a punto de darme por vencido y olvidarme de plano del asunto, cuando parte de él salió a flote. Tenía algo que ver con la bolsa de plástico bajo la cama de Raquel. Me levanté una vez más y subí las escaleras.

Cuando abrí la puerta de la habitación de Raquel, me percaté de que olía como si ella hubiese rociado desodorante ambiental. Me asomé por abajo de la cama. La bolsa de plástico ya no estaba.

Me incorporé y tomé asiento en la cama. Persistía en mí esa sensación de no acabar de entender lo que ocurría; de que todo estaba ahí, justo delante de mis narices, esperando que yo lo descubriera.

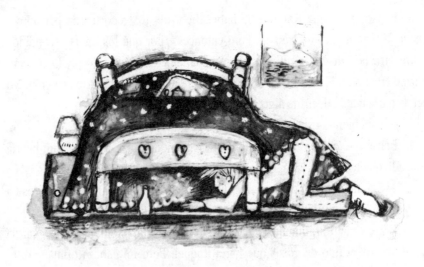

Fue entonces cuando me di cuenta. O, mejor dicho, cuando me las olí. Husmeé el aire. Me puse en cuatro patas y metí la cabeza debajo de la cama. Volví a husmear. Una sensación horrible invadió todo mi cuerpo. Fue como una descarga eléctrica. No atiné más que a permanecer ahí, arrodillado en el suelo, diciéndome una y otra vez: "¡Dios mío! ¡Dios mío! ¡Dios mío!" Por eso Raquel había echado mano del aromatizante, para intentar disimular ese otro olor que merodeaba bajo su cama: el olor crudo, desagradable e inconfundible de la gasolina. ❖

Capítulo 21

❖ AHORA TODO QUEDABA perfectamente claro. Raquel había usado el pedazo de manguera de hule para succionar gasolina de algún auto y echarla en la botella de detergente. Se proponía abrir el buzón de la tienda de pieles y echar por ahí un chisguete de gasolina. Luego dejaría caer un cerillo encendido. Quizá estuviera haciéndolo precisamente ahora.

Tenía que encontrar a papá, y pronto. Corrí al teléfono. El número de su oficina estaba en la agenda, junto al aparato. Me hice bolas al tratar de abrir la agenda. Parecía como si mis dedos fueran incapaces de hacer lo que yo quería. Mientras tanto, en mi imaginación, podía ver una marejada crepitante de enormes llamas amarillas.

Por fin di con el número. Pulsé las teclas y aguardé el tono de llamada. Me pareció que tardaba años, pero finalmente oí el consabido tono electrónico.

"Dense prisa, dense prisa", dije en la bocina. Pero el teléfono llamaba y llamaba. Conté las veces que llamaba. Cuando llegué a diez, colgué. Seguramente me equivoqué al marcar, pensé. Lo intenté de nuevo, oprimiendo las teclas despacio y con cuidado. Comenzó a escucharse el tono en el otro extremo de la línea. Llamó otras diez veces. "Contesten", dije, pero el teléfono seguía llamando. Llamó treinta veces. "Voy a esperar a que llame cincuenta veces", me dije. "Si no contestan, cuelgo".

En la número cuarenta y nueve, alguien contestó. "¡Gracias a Dios!", pensé.

—¿Diga? —se oyó una voz de hombre.

—Por favor, con David Paton —pedí.

—Esto es vigilancia. El edificio está cerrado.

—Se quedó a trabajar hasta tarde —expliqué.

—Aquí no hay nadie, sólo yo —dijo y colgó.

Permanecí un rato mirando el auricular y luego colgué.

¿Dónde estaba mi papá? De pronto me acordé de lo que había dicho Raquel: "No nos dijo a dónde iba".

"Regresó a su oficina", le había informado yo. Ella meneó la cabeza mirándome como si yo fuera tonto.

De modo que no estaba en su oficina y no iba a poder localizarlo por teléfono. ¿Qué hacer entonces? Me daban ganas de arrancarme los cabellos. Tendría que llamar a mamá. Aunque estuviera en Bristol, ella sabría qué hacer.

Cogí de nuevo el teléfono y marqué el número que mamá había apuntado en la libreta de recados. En esta ocasión, contestaron de inmediato.

—Hotel Kingsway, a sus órdenes —dijo una voz de mujer.

—Me urge hablar con la señora Elizabeth Paton —repuse.

—¿Está hospedada aquí? —preguntó.

—Sí.

—Un momento.

Se oyó un *clic* y se comenzó a oír música electrónica. Reconocí la melodía. Era *Greensleeves*. El sonido metálico de las notitas en mi oído era desquiciante. Escuché dos veces las estrofas y el coro antes de que irrumpiera de nuevo la voz de mujer.

—Disculpe usted, pero no contesta.

—Debe andar por ahí. Es una emergencia.

—Trataré de localizarla —dijo la mujer.

Se oyó un nuevo *clic* y *Greensleeves* arrancó donde se había interrumpido. Esta vez fueron cuatro las veces que escuché las estrofas y los coros. Estaba a punto de gritar cuando la mujer se puso de nueva cuenta en la línea.

—Lo siento, pero al parecer ella no está en el hotel. ¿Quiere usted dejarle un recado?

—Por favor, dígale que llamó Mateo —dije.

Colgué. "Y ahora ¿qué hago?", me dije.

Volví a la cocina. Tuve la impresión de que el reloj de pared me gritaba: "El tiempo corre. Todo puede suceder". Entré y salí de las habitaciones. Algo me hacía temblar como si tuviera frío. "Debe ser el susto", me dije. "Te estás dejando llevar por el pánico. Cálmate."

Procuré respirar despacio y hondo. Alguna vez vi en la tele que alguien lo recomendaba para cuando uno era víctima de un ataque de nervios. De algo sirvió, pero no de mucho.

Tenía que hacer algo. Tal vez llamar a la policía. A fin de cuentas, quizá la vida de alguien corría peligro. Pero cómo iba a poner a la policía tras la pista de mi propia hermana. Debía haber alguien que pudiera ayudarme.

Pensé en *Berna*, pero no iba a servir de nada. Él se lo diría inmediatamente a sus padres y podía adivinar lo que ellos harían: llamarían a la policía.

No quedaba nadie más; nadie en quien yo pudiera confiar.

Pues en tal caso tendría que llamar a la policía. Volví al vestíbulo y me paré delante del teléfono. Cogí el auricular. Mi dedo se paseó por encima de las teclas. Colgué de nuevo. No podía. Me llevé las manos a la cabeza y dejé escapar un quejido.

De repente, se me ocurrió una idea. Sí había alguien a quien yo podía llamar: Karen. Ella me ayudaría. Estaba seguro. Me imaginé su rostro: sonreía del mismo modo que cuando me preguntó por mi cuento. No era mayor que yo, pero cuando menos podría contarle lo que había sucedido. Tal vez ella supiera qué hacer. Sería una idea descabellada, pero de pronto me sentí como un hombre a punto de ahogarse que descubre a lo lejos un bote salvavidas.

Pero no tenía su número de teléfono. Abrí el directorio en la "P" y empecé a pasar furiosamente las páginas. Cuando llegué a los Pearson me detuve desalentado. Había miles y miles de Pearson.

Pero no me iba a dar por vencido. Cogí el auricular y marqué el primer número. Contestó una voz de hombre.

—¿Es casa de Karen Pearson? —inquirí.

—Aquí no vive ninguna Karen —repuso.

Probé otros doce números antes de dar con ella. Contestó ella misma.

—Soy Mateo Paton —dije.

—Mateo —exclamó ella, sorprendida—. ¡Qué milagro! ¿Cómo se te ocurrió llamarme?

Me había concentrado de tal manera en hallar su número, que no tuve tiempo de pensar en lo que iba a decirle.

—Necesito que me ayudes —dije.

—¿Qué te pasó?

—Mi mamá se fue de fin de semana. Mi papá salió. Estoy sólo en la casa y creo que mi hermana Raquel está a punto de incendiar una tienda.

—Mateo, no entiendo de qué me estás hablando.

De pronto perdí la esperanza. Era demasiado complicado explicarle. En cualquier caso, ¿qué podía importarle a ella?

—Mira, no tiene importancia —le dije—. Perdona que te haya molestado.

—Espérate. Claro que importa. No creas que no me doy cuenta. ¿Dijiste que creías que tu hermana va a incendiar una tienda?

—Sí.

—¿Por qué?

—Es una peletería. A ella le parece una crueldad. Acabo de descubrirlo. Salió con una botella de detergente llena de gasolina. Ya sé que suena disparatado. Pero tengo que detenerla y no puedo localizar a mi mamá ni a mi papá. De pronto se me ocurrió que tú podrías ayudarme. No sé por qué.

—Sí, Mateo; no cuelgues, ¿eh? Voy a llamar a mi mamá.

—Sí.

Por tercera vez en esa noche, me hallaba esperando en el teléfono. Tuve la sensación de que era mi última oportunidad. Un par de minutos más tarde, Karen se puso de nuevo al teléfono.

—¿Dónde vives, Mateo? —me preguntó.

Se lo dije.

—Vamos para allá. No te preocupes.

—Gracias —repuse.

Jamás en mi vida he dicho tan sinceramente esta palabra. ❖

Capítulo 22

❖ ME ENCONTRABA esperando en el escalón de la entrada cuando un *Volkswagen* destartalado se detuvo frente a la casa. Karen se apeó del asiento del copiloto.

—Ya llegamos —anunció alegre.

La mujer que bajó por el lado opuesto se parecía mucho a Karen. Estaba impecablemente vestida y tenía un aire ejecutivo. Por primera vez en esa noche concebí un poco de esperanzas.

—Hola, Mateo —me saludó—. Soy Jan.

—Gracias por venir —repuse.

—No hay de qué —contestó—. ¿Te parece que entremos mientras me explicas exactamente qué es lo que pasa?

La verdad, yo no quería perder más tiempo explicando todo de nuevo, pero me di cuenta de que tendría que hacerlo. Las conduje hasta la casa y, una vez dentro todos, cerré la puerta. Jan tomó asiento en la sala y se me quedó mirando con interés.

Tendría que haberme sentado yo también, pero me resultaba imposible.

Mi preocupación era demasiada. Anduve de un lado a otro de la pieza mientras la ponía al tanto de lo sucedido. Se lo conté todo: desde el comportamiento reciente de Raquel hasta el olor a gasolina bajo su cama, sin olvidar lo que me había comentado *Berna* acerca de su aparición en el noticiario.

Mientras avanzaba en mi relato, me percaté de que sonaba bastante disparatado, como si estuviese yo dando una importancia desmesurada a un detalle insignificante. Miré el rostro de Jan. Tenía un aire grave, pero era difícil saber si pensaba que todo aquello eran puras tonterías, o si estaba tan preocupada como yo.

—¿Le parece que todo esto es una estupidez? —le pregunté.

—De ninguna manera —repuso ella—. Me parece que has hecho lo correcto, Mateo. Más vale prevenir que lamentar.

Me sonrió y su sonrisa era exactamente igual a la de Karen.

—¿Pero tú crees que de verdad Raquel vaya a prenderle fuego a la peletería? —le preguntó Karen a su madre.

—No lo sé —repuso ella—. Volverte vegetariano no significa que te hayas vuelto loco —se dirigió a mí.

—No, claro —repuse.

—Karen y yo no comemos carne muy seguido, ¿verdad, Karen?

Karen negó con la cabeza.

—En realidad, solamente en la escuela —dijo.

—Pero no es sólo eso —insistí,

—Lo sé —repuso Jan—. Me parece que convendría echar un vistazo al cuarto de tu hermana.

Las llevé arriba. Al abrir la puerta yo esperaba que de golpe se sentiría el olor a gasolina, pero parecía haberse disipado. Jan se puso a gatas y se asomó debajo de la cama.

—No huelo nada, salvo el aromatizante —dijo—. Pero tengo que admitir que mi sentido del olfato no es nada del otro mundo.

—Me parece que yo sí huelo a gasolina —dijo Karen.

—Esperen un momento —les pedí.

Fuí a mi habitación y cogí la caja del *Turista*. Saqué los recortes del periódico y se los mostré a Jan. Leyó con cuidado el primero y hojeó los restantes. Luego me los devolvió.

—Bueno —dijo—. Te voy a decir lo que pienso. Puede ser que te hayas equivocado por completo. Puede ser que, efectivamente, Raquel haya ido a una fiesta. Por otro lado, tal vez tengas razón. No creo que podamos darnos el lujo de correr el riesgo. Raquel puede meterse en un problema muy serio y alguien podría salir lastimado. La pregunta es: ¿qué hacemos? Quizá deberíamos llamar a la policía.

El corazón me dio un vuelco cuando escuché eso.

—¿Usted cree que sea necesario? —le pregunté.

—No sé —repuso—. Estoy tratando de decidirme por algo.

Permanecimos allí, en medio del cuarto desordenado de Raquel, mientras Jan decidía qué hacer. Karen me miró y cruzó los dedos. Trataba de demostrarme que estaba conmigo. Me sentí inmensamente agradecido, pero sólo pude corresponderle con una sonrisa a medias.

Por fin Jan habló.

—Bueno —dijo—. Sé dónde está esa peletería. Paso por enfrente todos los días, de camino a la oficina. Tardaremos como media hora en llegar allá. Yo calculo que Raquel abordó el transporte público. Necesita tomar dos autobuses.

—Pudo haberse ido en taxi —dije.

—Puede ser —convino Jan—, pero no le convendría hacer nada que alguien recuerde fácilmente. Apuesto a que ahora mismo va sentada en un autobús. Creo que tenemos posibilidades de alcanzarla.

—¿No va a llamar a la policía, entonces?

—Por ahora no —dijo ella—; pero no perdamos más tiempo discutiéndolo. Vámonos.

Salimos disparados de la casa. Jan quitó los seguros de las portezuelas. Pero, precisamente cuando estaba subiendo al auto, creí escuchar que sonaba un teléfono.

—Esperen —dije—. Estoy seguro de que es nuestro teléfono.

—No hay tiempo que perder —dijo Karen.

—Es que podría ser algo importante —repuse.

Abrí la portezuela y regresé corriendo a la casa. Busqué con torpeza la llave en mi bolsillo, la saqué y se me cayó. Solté una palabrota, la recogí de nuevo, abrí la puerta y entré como tromba al vestíbulo. Levanté el auricular. En ese momento dejó de llamar el teléfono. Me lo llevé a la oreja pero sólo pude escuchar el zumbido del tono de marcar.

—¡Maldición! —exclamé.

Colgué violentamente y volví a salir a la carrera, cerrando de un portazo. Jan aceleraba. Karen me abrió la portezuela.

—Llegué tarde —comenté.

—Ojalá no sea la frase de esta noche —dijo Jan.

Se apartó de la acera con un rechinar de llantas y enfiló por la carretera a toda velocidad. ❖

Capítulo 23

❖ Vivimos en las afueras de una ciudad pequeña. El viaje al centro nunca se me hace muy largo cuando voy en el autobús de camino a la escuela. Pero esa noche el tráfico parecía moverse a vuelta de rueda. Yo iba sentado muy tieso en el asiento trasero, cerca de Karen, mirando a través del parabrisas. Cada vez que nos acercábamos a un semáforo, éste cambiaba de inmediato al rojo.

Entonces, un aprendiz de conductor se incorporó al tráfico justo delante de nosotros.

—Nada más eso nos faltaba —comentó Jan.

El novato conducía exactamente por el centro del carril, de modo que no podíamos rebasarlo. Jan se vio obligada a cambiar a tercera. Poco después, el aprendiz se detuvo delante de un paso de peatones y esperó a que cruzara el mundo entero.

Cuando el último peatón subió a la banqueta, el aprendiz se puso en marcha y enseguida se le apagó el motor. Se desencadenaron los claxonazos detrás de nosotros; los conductores sacaban la cabeza por la ventanilla para gritar enfurecidos.

Alcanzaba a oír al aprendiz tratando de arrancar su auto una y otra vez.

—¿Qué pasa con este tipo? —pregunté.

—Creo que ahogó el motor —dijo Jan.

—¿Qué es eso? —preguntó Karen.

—Sucede cuando las bujías se han empapado de gasolina y no dan chispa —explicó su madre.

Sólo de oír la palabra "gasolina" se me revolvió el estómago.

—Pero no puede quedarse ahí en mitad del camino toda la vida —dijo Karen.

De repente, el motor arrancó con un tartamudeo y el aprendiz reinició su travesía.

—En cuanto pueda, lo paso —comentó Jan—. No se desesperen.

Avanzamos en silencio durante lo que parecieron años, aunque habrán sido cinco minutos. Por fin el aprendiz dio vuelta a la izquierda, poniendo la direccional en el último segundo.

—Gracias a Dios —comentó Jan.

Volvió a conducir con normalidad, zigzagueando entre el tráfico. Parecía haber miles de coches.

"¿A dónde va toda esta gente?", me pregunté. "¿Por qué no se han quedado en casa viendo tele o leyendo el periódico?" Antaño, cuando no existía el automóvil, pensé para mis adentros, difícilmente andaría alguien en la calle a estas horas de la noche. Pero ahora la ciudad se asfixia de tanta gente que va de un lado a otro, corriendo sobre ruedas; cada cual tratando de abrirse paso a codazos, haciendo lo posible por rebasarnos con tanto denuedo como nosotros intentábamos dejarlos atrás.

—Estás muy callado, Mateo —dijo Jan.

—Mateo siempre es muy callado —intervino Karen—. ¿No es cierto, Mateo?

—¿Tú crees? —repuse.

Me costaba trabajo hacer nada, como no fuera ir ahí sentado, mirando por la ventana y deseando que el auto avanzara.

—Contarnos algo te ayudaría a distraerte un poco —dijo Jan.

—Sí —repuse.

Pero no conseguía concentrarme para decir nada más.

—¿Qué te parece la escuela? —me preguntó.

—Nada del otro mundo —dije.

—Karen dice que es bastante buena.

—Dije que no estaba tan mal —precisó Karen.

—Los profesores me sacan de onda —comenté.

—Mi mamá es maestra —dijo Karen.

—¿En serio? —comenté, mirando con asombro a Jan.

Como que no tenía el tipo.

—Únicamente mientras estoy en la escuela —dijo, sonriendo—. Fuera de ella soy un ser humano.

—No todos son malos —comentó Karen.

—No quise decir eso —aclaré.

—El señor McCaffrey me cae bien.

—Pero no es un maestro como los demás —objeté.

—¿Cómo que no es "como los demás"? —preguntó Karen.

—Digo: apenas empieza. Espera a que pase un año o dos y será igual que todos.

—No seas injusto —objetó Karen.

—Mateo tiene razón —terció Jan—. Es cierto que los profesores comienzan con mucho entusiasmo y luego lo pierden. Pero la vida es así.

—Es que me molesta que ni siquiera te escuchen —comenté—. La señora Aske, por ejemplo. Finge estar preocupadísima por mí, pero en realidad no sabe ni quién soy.

—No es precisamente fácil saber nada de ti —repuso Karen.

—¿A qué te refieres?

—Pues fui yo la que tomó la iniciativa de hablarte, ¿no?

—No sé.

—No. Claro que no sabes.

El comentario provocó un silencio que duró un buen rato. Pensé en lo que acababa de decir Karen. Quizá fuera cierto. Sin embargo, no veía yo qué podía hacer para remediarlo.

—¿Por qué no jugamos *Veo Veo*? —sugirió Karen.

—¡¿*Veo Veo*?! —exclamé.

Cómo se le ocurría ponerse a jugar en un trance como éste.

—Así se nos hará más corto el camino.

—Está bien —accedí.

Valía la pena probar cualquier cosa en esa dirección.

—Veo veo, una cosita que empieza con "s" —dijo Karen.

—¿Está dentro o fuera del coche? —pregunté.

—Dentro —repuso.

Miré a mi alrededor, buscando alguna cosa que comenzara con "s". No encontraba nada. Pensé en un suéter. "¿Llevaría Jan puesto un suéter?", me pregunté. Pero estaba casi seguro de que no.

—Dame una pista —le pedí.

—Si todavía no has tratado de adivinarlo.

—Bueno, de acuerdo. Sombrero —propuse.

—¿Sombrero? Yo no veo ningún sombrero —objetó Karen.

—Bueno, pensé que a lo mejor traían uno en el coche, que yo no había visto.

—Ah, sí claro —se burló Karen—. Traigo toda una colección debajo del asiento. Déjame ver: aquí hay un sombrero de paja, también un bombín...

—Está bien —admití—. Fue un intento bobo, pero es que está muy difícil.

—Es fácil —replicó Karen—. Mamá, te toca adivinar.

—Es el seguro de la portezuela —dijo Jan.

—Correcto —dijo Karen—. Vas tú.

—Yo voy pendiente del volante —repuso Jan—. Que Mateo tome mi turno.

Me puse a pensar en alguna otra cosa que hubiera dentro del coche. Estaba a punto de decir la "r", de retrovisor, cuando escuché un sonido horriblemente familiar. Era la sirena de una patrulla que se acercaba.

Karen y yo nos volvimos para mirar por el medallón trasero. Pude ver una luz azul intermitente en algún punto detrás de nosotros. Comencé a morderme las uñas. Karen se estiró y me quitó la mano de la boca.

—Puede que no vayan por Raquel —dijo.

La sirena se oía más fuerte y los coches que venían detrás de nosotros comenzaron a orillarse. Ahora podía ver la patrulla. Venía unos cuantos coches más atrás. Jan se hizo a un lado para dejarla pasar y un momento después pasó como un bólido junto a nosotros, con la sirena ululando a todo volumen.

Jan volvió al centro del carril y siguió adelante.

—Mateo, me duele —me dijo Karen.

—¿Cómo dices?

Entonces caí en la cuenta de que tenía fuertemente agarrada la mano de Karen.

—Perdóname —le pedí.

La solté de inmediato.

—Las patrullas andan siempre de prisa, atendiendo urgencias —comentó Jan—. No hay por qué pensar lo peor.

—No, claro —dije.

Después del incidente ya nadie quiso jugar *Veo Veo*. Me puse a mirar por la ventana los coches que pasaban en dirección contraria. "Si el décimo es rojo", me decía, "entonces la patrulla no va por Raquel."

Era una idea disparatada, pero de todos modos me vi contando los coches. El décimo fue blanco. "No quiere decir nada, a fin de cuentas", me dije. Pero enseguida empecé a contar de nuevo. Esta vez el décimo coche fue rojo. Me sentí un poquitín mejor. "Sale", pensé, "la tercera es la vencida".

Vi una vez un programa en la tele de un hombre secuestrado por unos terroristas al que mantienen encerrado varios meses, solo. Para no volverse loco, rompía un papel en pedacitos y con ellos hacía las piezas de un ajedrez. Luego, jugaba contra sí mismo. Pues es lo que estaba haciendo yo: jugando una especie de ajedrez conmigo mismo. Sólo que al parecer iba perdiendo. Esta vez el décimo coche fue azul.

"Bueno", decidí. "Voy a hacerlo una vez más y esta sí es la buena. Si el décimo coche no es rojo, entonces definitivamente Raquel incendió la tienda y ha sido arrestada." Empecé a contar una vez más, pero sólo llegué hasta ocho.

—Bien —me interrumpió Jan—. La peletería está al final de esta cuadra. Me voy a estacionar aquí.

No se veían llamaradas amarillas, como las que me había imaginado, solamente una calle con un montón de tienditas y un par de restaurantes.

Apenas alcancé a distinguir la peletería al final de la cuadra. Las ventanas estaban protegidas con cortinas metálicas.

Me dispuse a bajar del auto, pero Jan me detuvo.

—No —me dijo—. Tú quédate aquí. Pueden estar vigilando la tienda.

—¿La policía?

—O Raquel —repuso—. No debemos ahuyentarla.

Abrió la guantera y extrajo una carta.

—¿Para qué la quieres? —preguntó Karen.

—Hay un buzón al final de la calle. Voy a echar esta carta. Así tendré un pretexto para pasar por delante de la tienda.

Bajó del auto y se alejó caminando. Llegó hasta el final de la cuadra, cruzó hacia el buzón, introdujo la carta y regresó.

—No hay señales de ella —dijo.

—Y ahora, ¿qué hacemos? —pregunté.

—No sé —repuso—. En realidad no pensé qué íbamos a hacer si no la encontrábamos.

—Ni modo que nos quedemos aquí sentados —dije.

Me pareció ridículo haber hecho el viaje hasta allí para quedarnos cruzados de brazos.

—Pues en mi opinión eso es exactamente lo que hay que hacer —replicó Jan.

—¿Cuánto tiempo? —pregunté.

—No lo sé, Mateo —repuso—. Estoy haciendo todo lo posible por resolver esto.

Se la oía cansada y tensa.

—Perdón —me disculpé—. Es que ha sido lo mismo toda la noche... esperar.

—Ni modo —repuso—. Oye, ¿por qué no llamas por teléfono a tu casa? Qué tal si Raquel ya ha vuelto.

—Si contesta mi papá, ¿qué le digo?

—Me parece que eso es cosa tuya, Mateo —repuso—. Hay una caseta allá atrás, sobre la avenida, antes de donde nos desviamos, frente a la taberna.

—Está bien —dije.

—¿Te acompaño? —se ofreció Karen.

—Te necesito para identificar a Raquel —le dijo su madre—. No olvides que nunca la he visto.

Me dirigí a la cabina telefónica, volviéndome nerviosamente a mirar por sobre el hombro varias veces, antes de apartarme de la callejuela.

Resultó fácil encontrar la cabina y no había nadie llamando. Entré, introduje una moneda y marqué mi número. El teléfono llamó una docena de veces, pero nadie contestó. Colgué, salí de la cabina y volví al coche.

—No está en casa —les informé.

—No está en tu casa ni aquí —señaló Karen—. A lo mejor sí fue a una fiesta.

—Debería haber llegado ya, aunque hubiese tenido que esperar horas el autobús —dije.

—Pues tendrá que pasar junto a nosotros para llegar a la tienda —dijo Jan—. La parada del autobús está frente al cine, y no hay otra manera de...

Karen la interrumpió.

—Hay alguien frente a la tienda —susurró.

Los tres aguzamos la vista.

—¿Cómo pudo pasar sin que la viéramos? —dijo Karen.

—Quizá no sea ella —dijo Jan.

Pero yo podía ver que aquella persona llevaba una bolsa de plástico blanca. Estaba parada en el portal y buscaba algo dentro de la bolsa.

—Es ella —grité.

Abrí la portezuela y eché a correr con todas mis fuerzas hacia la tienda. Tenía que llegar antes de que Raquel encendiera el cerillo. ❖

Capítulo 24

❖ RAQUEL GIRÓ CON brusquedad y se me quedó mirando. Sostenía en una mano la botella con gasolina, apuntándome directamente, como si fuese un arma. Su rostro semejaba una máscara extravagante. Me pareció una extraña. Me detuve en seco unos metros antes de llegar a ella.

—¡Mateo! —exclamó—. ¿Qué haces aquí?

—Tratando de evitar que cometas una estupidez —repuse.

Raquel miró en torno suyo. El brazo que sostenía la botella cayó poco a poco contra su costado. Su expresión cambió de repente.

—No sé de qué me estás hablando —dijo—. Vine a dar un paseo por aquí, nada más.

—No seas ridícula —le reclamé.

—Eres tú el que está haciendo el ridículo —se defendió.

—Mira, ya sé lo que piensas hacer —le dije.

—Tú no sabes nada —replicó—. ¿Por qué no me dejas en paz?

Por un momento, no supe qué responderle. ¿Por qué no la dejaba en paz? ¿Por qué me había pasado la noche preocupado, llamando por teléfono, cruzando la ciudad a bordo de un automóvil, por ayudar a alguien que no tenía el menor interés en mi ayuda?

—Porque soy tu hermano —pude decirle.

Abrió la boca como para decir algo. Después su labio comenzó a temblar. Le escurrieron lágrimas por la cara. Por fin, se soltó a llorar con angustia. Incontenibles sollozos sacudían su cuerpo. Dejó caer la botella con gasolina y ocultó la cara entre sus manos.

Me quedé sin saber qué hacer. Pensé que tal vez debería acercarme y abrazarla. Era algo que no hacía desde que era muy pequeño. Me sentí abochornado, pero de cualquier manera caminé hasta ella y la abracé. Estaba rígida y encorvada y no pareció notar mi presencia en lo más mínimo. Me entraron ganas de llorar a mí también. La vida había sido muy dura últimamente y yo no tenía culpa de nada.

Permanecí de pie, rodeando a Raquel con los brazos, mientras ella no paraba de llorar. Me había olvidado por completo de Jan y de Karen hasta que escuché la voz de Jan.

—Me parece que debemos irnos de aquí y platicar un poco sobre esto, ¿no creen? —dijo.

—Sí —repuse enderezándome.

Jan se volvió hacia Raquel.

—Hola —se presentó—. Soy Jan. Y despreocúpate. No soy policía. Soy una amiga. Además, me estoy muriendo de hambre. ¿Qué les parece si buscamos dónde comer algo?

Raquel abrió la boca para hablar, pero Jan la interrumpió.

—Ya sé —aclaró—. Eres vegetariana. Estoy segura de que encontraremos un sitio adecuado.

Sacó de su bolsillo unos cuantos pañuelos desechables y se los dio a Raquel.

—Toma, te vendrán bien —le dijo.

Se agachó y recogió la botella de detergente. Estaba tirada en el pavimento. Al lado se había formado un charquito de gasolina donde se reflejaban los faroles de la calle con los colores del arco iris.

—Creo que convendría encontrar un basurero para deshacernos de esto —dijo.

Encabezó la marcha calle abajo, con Karen a su lado. Yo la seguí con Raquel, que iba sonándose y limpiándose la cara. Si alguien nos vio, seguro le parecimos una procesión extraña.

Jan condujo calle abajo. Pasamos frente a una tienda en remodelación. Había andamios delante de la fachada y una tolva de una constructora estacionada enfrente, llena de escombro hasta la mitad.

—Esto nos viene como anillo al dedo —dijo Jan.

Echó en la tolva la botella de gasolina y la bolsa de plástico donde Raquel la había ocultado.

—Buen viaje —dijo.

Enseguida reanudó la marcha y la seguimos por un laberinto de callejuelas hasta que finalmente se detuvo frente a un restaurante con un letrero encima donde se leía: "El Escondite".

—Éste es un lugar agradable —comentó—. La gente viene aquí cuando quiere estar tranquila y en paz —miró a Raquel—. ¿Crees que te sentirás a gusto? —le preguntó.

Desde que estalló en llanto, Raquel parecía de algún modo haberse encogido. Daba casi la impresión de ser una niñita. Me sentí como su hermano mayor.

Sorbió la nariz y asintió con la cabeza.

—Yo creo que sí —dijo.

Entramos y nos recibió un mesero de filipina blanca.

—Una mesa para cuatro, por favor —pidió Jan.

El restaurante era más amplio de lo que parecía por fuera y las mesas estaban en su mayoría en reservados. Cerca de la mitad estarían ocupadas. Se escuchaba una música suave de fondo.

El mesero nos condujo hasta un reservado hacia el fondo del restaurante. Tomamos asiento y nos repartió los menús.

—Me gusta este sitio —comenté—. Me hace sentir entre amigos.

Jan coincidió con mi observación.

—Hay varios platillos vegetarianos —le dijo a Raquel—. Te recomiendo el *musaka* de frijol bayo.

Raquel asintió. Apenas se había asomado al menú.

—Gracias —dijo—. Pediré eso.

Al final todo el mundo optó por el *musaka*, incluso yo. No tenía idea de en qué me estaba metiendo, pero quise evitar que Raquel comenzara a despotricar contra nosotros por comer carne y acabara saliéndose violentamente del restaurante. El mesero apuntó nuestra orden y se retiró.

—Muy bien, Raquel —dijo Jan—. Hablemos de lo que ocurrió esta noche.

—No quiero —repuso Raquel.

—No me interesa si quieres o no —replicó Jan con voz asombrosamente firme.

La miré con detenimiento y por primera vez tuve la impresión de que, bien mirado, sí tenía tipo de maestra.

—He perdido la noche por causa tuya. He evitado que cometieras el error más grande de tu vida y todavía no me has dado las gracias.

—Yo no se lo pedí —argumentó Raquel.

—Yo sí —tercié.

—Quiero que te enteres de algo, Raquel —prosiguió Jan—. Yo tengo una responsabilidad con la sociedad, no solamente contigo. Todavía no he decidido si voy a informar a la policía de este incidente.

Todos nos enderezamos y nos la quedamos viendo.

—Oye, *ma* —dijo Karen—, no vas a hacerlo, ¿verdad?

—Ya pasó todo —aventuré.

—No, no es así —afirmó Jan—. Entonces, Raquel, ¿hablamos?

—No me queda de otra —dijo Raquel.

—Bien. En primer lugar, quiero que me cuentes exactamente qué estabas haciendo esta noche, según tú.

—Ya sabe lo que estaba haciendo.

—Dímelo tú.

Raquel la miró con ferocidad.

—Estaba protestando —dijo—. ¿Sabe usted cómo matan a los animales para quitarles la piel? ¿Conoce las trampas que se utilizan? ¿Ha oído que algunos de ellos muerden sus propias patas para escapar?

Sus ojos echaban llamas mientras hablaba. Había dejado de ser la niñita de hacía un momento.

—Sí, sí lo sé —repuso Jan calmadamente—, y me parece indignante. Y creo que tienes razón de querer hacer algo al respecto. Pero ésta no es la manera. Pudo haber muerto alguien, Raquel.

—Nadie vive en la tienda —replicó Raquel—. Me cercioré de ello.

—¿Y si el fuego se hubiera extendido a otras construcciones?

—Tenía pensado llamar inmediatamente a los bomberos.

—Te hubieran pescado, Raquel. Esas llamadas se pueden rastrear.

—No lo creo —dijo Raquel desafiante.

—Piensa lo que tú quieras —le dijo Jan—. Lo cierto es que ni siquiera conseguiste engañar a tu hermano menor.

Raquel permaneció callada.

—Mira, tengo la impresión de que no haces esto solamente por salvar a los animales —prosiguió Jan.

—¿Qué insinúa? —preguntó furiosa Raquel.

—Estás muy enojada —comentó Jan.

—¡Claro que estoy enojada! —repuso Raquel.

Los ojos habían vuelto a llenársele de lágrimas.

—¿Pero únicamente estás furiosa contra quienes hacen daño a los animales? —la cuestionó Jan.

—No entiendo qué me quiere decir —se defendió Raquel.

Yo tampoco entendía a qué se refería Jan. ¿Con quién más habría de estar furiosa Raquel?

—En cierto modo me pregunto si no buscabas que te arrestaran hoy por la noche —continuó Jan sin alterarse.

—Eso son tonterías —le contestó Raquel—. Por supuesto que no quería que me descubrieran.

—Eligió una noche en que tanto papá como mamá salieron —apunté—. No lo hubiera hecho si hubiese buscado que la pescaran.

—Puede ser —dijo Jan.

No sonaba muy convencida.

Se hizo un largo silencio. Raquel sorbió la nariz. Enseguida se sonó.

—Voy al baño —anunció.

Se puso de pie, se escurrió por detrás de mí y de pronto se quedó como paralizada. Sus ojos se abrieron cuan grandes son por la sorpresa; como si hubiera visto un fantasma.

—¿Qué te pasa, Raquel? —le pregunté.

No me contestó.

Me incliné sobre mi costado para mirar en la misma dirección que ella. Por la puerta del restaurante acababa de entrar una pareja. El mesero de filipina blanca los ayudaba a despojarse de sus abrigos. La mujer tendría cuarenta y pocos. Era guapa y vestía bien. Parecía hallarse muy a sus anchas en el restaurante. Bromeó con el mesero y éste rió como si la conociera de tiempo.

El hombre nos daba la espalda. Había algo horriblemente familiar en la caída de sus hombros. Cuando terminó de quitarse el abrigo, se dio vuelta.

—¡Papá! —exclamé en un murmullo.

Paseó mirada nerviosa por todo el restaurante, sin detenerse más de un instante en ningún punto, pero no nos vio a Raquel ni a mí. El reservado nos ocultaba a su vista. Permanecimos contemplando la escena en silencio, mientras el mesero los conducía a su mesa. ❖

Capítulo 25

❖ ¿ALGUNA VEZ has tenido uno de esos sueños donde está ocurriendo algo terrible y tú quieres evitarlo pero no puedes moverte? Pues así fue aquello para mí. Me quedé allí, como anclado, mientras Raquel se alejaba cruzando el restaurante.

Se detuvo junto a uno de los reservados cercanos a donde se habían sentado mi padre y la mujer. Lo ocupaba otra pareja. Disfrutaban su cena y no habían notado la presencia de Raquel. De repente, Raquel se acercó y cogió de encima una botella de vino tinto.

La pareja interrumpió su comida y se quedó mirando a Raquel.

—¡Ey! —le dijo el hombre—. ¡Esa botella es mía!

Pero Raquel ya no estaba ahí.

—¿Qué pasa? —preguntó Jan detrás de mí.

—No sé —repuse.

Pero no tuve que esperar mucho para saberlo.

Raquel llegó junto a la mesa de papá. Él estaba de espaldas, de modo que no pudo verla hasta que lo tocó en el hombro. Papá se volvió. En su rostro se reflejaron al mismo tiempo la sorpresa y el horror. "Raquel...", intentó decir, pero no pudo continuar. Raquel levantó la botella encima de la cabeza de papá y la inclinó. Llovió vino tinto; cayó en una cascada sobre la cabeza de papá, por sus hombros, empapando su camisa.

Todos en el restaurante se quedaron viendo a Raquel mientras vaciaba la botella. Mi papá cerró los ojos. Por lo demás, no se movió. La mujer que había llegado con él se quedó sentada, paralizada por la sorpresa.

Cuando la última gota de vino resbaló por la cabeza de papá, Raquel dejó caer el brazo. Él permaneció allí sentado, sin articular palabra. Luego, muy despacio, buscó en su bolsillo y sacó un pañuelo. Se limpió la cara y encaró a Raquel.

—¿Tú crees que era necesario hacer esto? —le preguntó.

Sus palabras fueron como una señal para que todo mundo reaccionara. Jan y yo corrimos hasta la mesa de papá. Karen nos alcanzó. Al mismo tiempo, se acercó el mesero y empezó a preguntar a todos qué estaba pasando.

Tras él llegó el gerente del restaurante, de traje oscuro y corbata.

—¿Y mi vino? —preguntó el comensal que había perdido su botella a manos de Raquel.

El gerente se dirigió a él.

—Enseguida le traeremos otra botella —le dijo, e hizo una seña al mesero para que se ocupara de ello.

Se nos quedó mirando.

—No puedo permitir esta clase de comportamiento en mi restaurante —nos regañó.

—Lo lamento muchísimo —se disculpó mi papá.

—Lo lamenta —masculló el gerente— ...mire nada más —dijo, señalando las manchas rojas en el mantel y la alfombra.

—Estoy dispuesto a pagar una cantidad razonable para cubrir el importe de la tintorería —ofreció mi papá.

El gerente no parecía muy contento.

—No habrá más problemas, se lo prometo —añadió mi papá.

—Eso espero —repuso el gerente—. En caso contrario, me veré obligado a pedirles que se retiren.

—Lo comprendo —aceptó mi padre.

Luego miró al resto de la comitiva.

—¿Nos acompañan?, Raquel y Mateo y, claro, sus amigas también —nos invitó—. Me temo que no hemos tenido la ocasión de presentarnos.

Había algo imponente en su forma de conducirse con tal serenidad, cuando todavía el vino tinto le escurría por el cuello y de su oreja se desprendían algunas gotas.

—Ella es Jan y ella Karen —las presenté.

—Hola, qué tal —dijo muy formal y cortés.

—¡Yo no me siento con ella! —sentenció Raquel, mirando ferozmente a la mujer sentada frente a mi papá.

Él exhaló un suspiro. Parecía incapaz de resolver qué decir. Entonces habló Jan.

—Sí vas a sentarte —ordenó con firmeza—. Tenemos mucho de que hablar todos.

Algo en el modo como lo dijo excluía la posibilidad de una negativa.

Mi padre se dirigió de nueva cuenta al gerente.

—¿Podríamos cambiarnos a una mesa más grande? —preguntó.

El gerente se molestó y le pareció el colmo, pero accedió. Nos condujo a una mesa más grande. El mesero nos trajo a todos nuestros platos. Luego se dio a la tarea de quitar el mantel blanco que se había manchado de rojo y secar la alfombra con una esponja. El gerente se metió detrás de la barra, pero no nos quitaba el ojo de encima.

—Les presento —dijo mi padre— a Bridget. Es una gran amiga mía.

La mujer con la que llegó al restaurante nos miró a cada uno. Sonrió sin mucho entusiasmo. Raquel le devolvió una mirada furibunda.

—Sé lo que estás pensando, Raquel —prosiguió mi padre—. Y tal vez tengas razón. Pero tienes que darme una oportunidad, ¿de acuerdo?

Raquel volteó la cabeza y guardó silencio.

—Quizá podrían comenzar por explicarme qué hacen ustedes aquí, en este restaurante —sugirió papá—. Y luego yo les cuento de Bridget y de mí.

Me percaté de que todos me miraban, esperando a que hablara.

—Bueno —comencé—. Supongo que todo empezó cuando decidí que se me antojaba jugar al *Turista*.

Les conté todo cuanto había sucedido. Cuando llegué al momento en que llamé por teléfono a su oficina y me contestó el vigilante, papá tenía semblante de estar pasando un muy mal rato, pero no intervino hasta que llegué al fin de mi historia. Entonces se le escapó un suspiro hondo, como si hubiese estado aguantando la respiración.

—¡Dios mío! —exclamó.

Miró a Raquel y meneó la cabeza.

—Que no se te vuelva a ocurrir algo semejante.

Raquel se quedó callada.

—¿Me oíste? —le preguntó, levantando la voz por el enojo.

—Iba usted a contarnos su parte de la historia —lo atajó Jan.

—¿Cómo? Ah, sí —dijo papá, recuperando la calma.

Tardó un momento; obviamente no atinaba por dónde comenzar.

—La cosa es así —dijo por fin—. Bridget y yo mantenemos una relación desde hace varios meses...

—El próximo viernes se cumple un año —acotó Bridget.

—Desde hace casi un año, pues —continuó mi papá—. Ha sido muy difícil para ambos...

Raquel chasqueó la lengua, disgustada.

—De acuerdo, Raquel, sé cómo te sientes —concedió papá—. Ha sido difícil también para otros.

—Mi mamá, por ejemplo —dijo Raquel furiosa.

—Sí, para mamá —convino papá—. Y para ti también, Raquel. Ahora me doy cuenta.

—Un momento —interrumpí—. ¿Tú estabas al tanto de esto, Raquel?

De pronto me pareció que yo había sido el único en ignorar lo que ocurría.

—Me lo imaginé —repuso—. No hace falta ser detective privado para averiguarlo.

—En fin —retomó mi papá—, lo que quiero decirles es esto: nuestra relación ha terminado. Se acabó. Ésta sería nuestra última noche juntos. Era nuestra cena de despedida.

—Qué casualidad —comentó Raquel.

—Es la verdad, Raquel —insistió mi papá.

—¿Ah, sí? —replicó ella—. ¿Como también es verdad que tenías que quedarte trabajando hasta tarde hoy?

Mi papá hizo el intento de hablar, pero Bridget se le adelantó.

—Es verdad, Raquel —dijo—. Yo le pedí a David que eligiera. No quiero que esté conmigo solamente a ratos. Tenía que ser todo o nada. Él optó por lo segundo.

Se levantó.

—Me parece que es hora de irme —dijo.

—Por favor, no te vayas todavía —le pidió papá.

—¿Qué caso tiene que me quede? —le preguntó ella.

El tono de su voz era frío y seco. Mi papá agachó la cabeza, como un hombre derrotado.

Bridget llamó al mesero tronando los dedos. El hombre acudió a toda prisa.

—¿Puede traerme mi abrigo, por favor? —le pidió.

Se volvió hacia mi padre.

—Adiós, David —se despidió.

Mi papá se levantó y se acercó a darle un beso, pero ella se negó.

—Pásala bien el resto de tu vida —le dijo.

Las lágrimas le escurrían por las mejillas y el rímel de sus pestañas empezaba a corrersele.

Se apartó de la mesa cuando el camarero se acercó con su abrigo. El hombre intentó sostenerlo para que ella introdujera los brazos en las mangas, pero ella se lo arrebató y salió del restaurante a toda prisa.

Mi papá se quedó sentado largo rato, mirando al vacío. Jan rompió el silencio.

—Más vale que yo también me encamine a casa —dijo.

Por un momento, papá se le quedó mirando como si fuera incapaz de comprender lo que decía. Luego recuperó la compostura.

—¿No quiere tomar algo más? —le preguntó.

—No, gracias —repuso ella—. Ya es muy noche.

—¿Y tú? —le preguntó a Karen.

Ella negó con la cabeza.

—Bueno. La cena corre por mi cuenta, por supuesto —dijo.

—Gracias —repuso Jan.

—Es lo menos que puedo hacer —comentó mi papá—. Le estoy de verdad sumamente agradecido.

—No hay por qué —dijo ella.

Se puso de pie y Karen la imitó.

—Me ha dado gusto conocerlo, señor Paton —dijo, tendiéndole la mano.

—El gusto ha sido mío —repuso mi padre estrechándosela—. Quedamos profundamente en deuda con usted —le repitió—. No sé cómo podremos corresponderle.

—Confío en que se le ocurrirá algo —dijo ella, dándose vuelta para marcharse.

—Nos vemos mañana —me dijo Karen.

—Claro —repuse.

Me dedicó su sonrisa especial. Luego se dio media vuelta y salió del restaurante siguiendo a su mamá. ❖

Capítulo 26

❖ DESPUÉS DE QUE LOS demás se fueron, nosotros terminamos de cenar. El *musaka* no estuvo mal, a fin de cuentas, solamente un poco raro. Luego pedimos helados. Raquel y mi papá tomaron café.

Cuando salimos, mi papá anotó su nombre y dirección para que del restaurante le enviaran la factura de la lavandería. Además, tuvo que pagar la botella de vino que se había derramado.

—Conozco un restaurante a donde nunca volveré —nos dijo cuando caminábamos tras él rumbo a nuestro auto, estacionado a unas cuantas cuadras de ahí.

Nos abrió las portezuelas. Raquel ocupó el asiento trasero y yo subí adelante, al lado de mi papá. Miré mi reloj.

—Son las once y media —reparé asombrado.

—¿De verdad? —comentó mi papá, mientras encendía el motor—. Ya decía yo que me sentía cansado.

—Yo estoy muerto —le dije.

Raquel permaneció en silencio. Se acurrucó en el asiento trasero, con cara de refugiada de guerra. Pensé en lo que había dicho Jan. ¿Serían los animales la única razón de la cólera de Raquel? ¿O lo de papá y Bridget? ¿Y de veras habría querido que la arrestaran? No estaba muy seguro de las respuestas, pero sí muy contento de una cosa: la habíamos detenido a tiempo.

—¡Qué nochecita! —comentó papá cuando arrancamos.

El tráfico de vuelta era mucho menos denso. Hilvanamos nuestro camino por el centro de la ciudad y luego hacia los suburbios, donde vivíamos. Para entonces, las calles estaban prácticamente desiertas.

Estaba a punto de quedarme dormido cuando por fin llegamos a nuestra calle. Comenzaba a pensar en lo maravilloso que iba a ser meterme en mi cama, cuando oí que mi papá exclamaba:

—¡Oh, no!

—¿Qué pasa? —pregunté.

Era imposible que algo más sucediera esta noche.

—Ese coche me parece conocido —dijo papá.

—¿Cuál?

—Ese *Fiat* viejo, medio oxidado.

—¡Caray! —exclamé yo, porque también lo había reconocido.

Era el de Linda.

Mi mamá estaba de pie frente a la puerta, esperándonos.

—¡Dios mío! —exclamó en cuanto nos vio—. ¿Es sangre?

—No. Vino tinto —aclaró mi papá.

—Pero, ¿qué fue lo que pasó? —preguntó ella—. ¿Están todos bien?

—No hay problema. Estamos todos bien —dijo papá—. ¿Te parece si entramos?

Pasamos junto a ella y nos fuimos a la sala. Linda estaba sentada en el sofá.

—Vine desde Bristol manejando a ciento veinte por hora —nos saludó—. Ojalá puedan darme un buen motivo.

—Sí, sí podemos —le contestó mi papá—. Un muy buen motivo aunque muy largo de contar. Pero, antes que nada, necesito hablar a solas con Beth.

—Ah, vamos, entonces me retiro —dijo Linda con sarcasmo—. Total, sólo he tenido que terminar anticipadamente mi fin de semana, manejar la mitad de la noche y probablemente quemar el motor de mi auto para traer a Beth de urgencia. De modo que no se sientan obligados a ponerme al tanto de lo que ha ocurrido.

—Me apena muchísimo, Linda —se disculpó mi papá—. Ha sido un gran favor que nos has hecho el traer de vuelta a Beth y, efectivamente, se trataba de una emergencia. Pero ha quedado resuelta, al menos por ahora, y Beth y yo tenemos que hablar de algunas cosas de suma importancia.

—David, no tengo la menor idea de qué está ocurriendo —objetó mi mamá—, pero francamente me parece excesivo que te presentes tan campante a medianoche y corras a Linda, sin explicación alguna, después de lo que ha hecho por ayudarnos.

—Es excesivo —reconoció mi papá—. Lo admito. Y lo lamento. Pero es inevitable. Esta familia necesita darse un tiempo para platicar todos juntos de ciertas cosas.

—Muy bien —dijo Linda—. Ya me voy. Sé muy bien cuando salgo sobrando —se puso de pie.

—Te llamo mañana —dijo mamá, poniéndose a su vez de pie.

—Más te vale —repuso Linda. Rió—. Ardo en deseos de saber qué pasó aquí. Y yo que pensaba que ésta era una familia muy bien avenida.

Salieron al vestíbulo y mamá la acompañó a la puerta.

—Gracias por todo, Linda —se despidió.

Cerró la puerta tras de su amiga. Regresó a la sala y se sentó en el sofá junto a papá.

—Pensé que habían matado a alguno de ustedes —comentó.

—Perdóname —dije—. Fue culpa mía por llamar al hotel. No se me ocurrió nada mejor.

—¿Pero qué pasó? —insistió mamá—. ¿Por qué tanto alboroto?

—No sé ni por dónde empezar —dijo mi papá.

—¿Puedo irme a dormir? —pregunté—. Estoy cansadísmo.

Mi papá dijo que sí con la cabeza.

—Sí, me parece una buena idea —recalcó—. Tú también, Raquel. Por mi parte, yo tengo que contarle muchas cosas a Beth.

Mi mamá se levantó y nos dio a cada uno un beso.

—Gracias a Dios que están sanos y salvos —dijo. Lloraba en silencio—. Todos —añadió, volviéndose a mirar a mi papá.

Él la abrazó.

—Estamos todos en casa y a salvo —dijo.

Raquel y yo nos salimos de puntillas. La seguí a la planta alta. Se detuvo fuera de su habitación y se volvió hacia mí.

—Mateo... —dijo vacilante.

—Eh.

—Lo de hoy.

—Qué.

—Gracias.

—De acuerdo —dije—. Pero no vuelvas a hacerlo, ¿sí?

—Voy a hacer lo posible —repuso. Abrió la puerta de su habitación.

—Ey, Raquel.

—Eh.

—¿Tú crees que se arregle?... lo de mamá y papá.

Se encogió de hombros y me mostró las manos. Había cruzado los dedos.

—Yo también voy a cruzar los míos —le dije. ❖

Capítulo 27

❖ Cinco semanas después, escribí esta carta.

Lunes 16 de julio

Querida Elizabeth,

No he descruzado los dedos. Ya han pasado unas cuantas semanas. Ha habido muchos cambios. Para comenzar, Raquel está mucho más comunicativa. Además, mi papá ya no llega tarde de la oficina. Mamá dice que está a prueba. Él, hasta se ha puesto a cocinar. La otra noche vino Linda y no le hizo ni una grosería.

En la escuela todo ha mejorado también, desde que mi papá fue a hablar con la señora Aske de Stuart Hall. Mi preocupación era que Stuart se pusiera todavía más pesado. Pero no fue así. La señora Aske nos obligó a sentarnos a platicar nuestros sentimientos. Stuart dijo que sentía que yo lo despreciaba, lo que me parece francamente raro, porque yo nunca menosprecio a nadie. Al menos, no que yo me dé cuenta.

Claro, Stuart tampoco ha cambiado tanto. No ha dejado de interrumpir las clases para decir estupideces. (¡Ay!, creo que estoy siendo despectivo). Como quiera, ha mejorado mucho.

Ésta será la última carta que te escriba, y quiero agradecerte que siempre me hayas escuchado. Has sido una amiga de verdad y una gran ayuda para mí. Pero ahora que he empezado a salir con Karen, o medio salir con Karen, no me parece correcto seguirte escribiendo. Estoy seguro de que sabrás comprender. Siempre lo has hecho. De modo que adiós, Elizabeth. Pásala bien el resto de tu vida.

Besos
Mateo ❖

Índice

Los muchachos no escriben historias de amor de Brian Keaney,
se terminó de imprimir en los talleres de Impresora y Encuadernadora
Progreso, S.A. de C.V. (IEPSA), Calzada San Lorenzo núm. 244; 09830,
México, D. F. durante el mes de diciembre del 2001.
Tiraje: 45 000 ejemplares.

Una sarta de mentiras
de Geraldine McCaughrean
ilustraciones de Antonio Helguera

—Mamá, lee esto —dijo Ailsa extendiéndole el libro
abierto; luego comenzó a caminar por la tienda, al ritmo de
los latidos de su corazón. No podía ser. Él existía. Lo había
tocado. Tenía que existir. La vida de otras personas había
cambiado a causa de él. Hizo un esfuerzo para recordar los
diferentes clientes a quienes Era C. había atendido. ¿Dónde
estarían? ¿A dónde se habrían ido? ¿A quién acudir y
pedirle prueba de su existencia?

Geraldine McCaughrean es una autora inglesa muy reconocida; en
1987 recibió el Premio Whitbread en Novela para Niños. En la
actualidad reside en Inglaterra.

Una vida de película
de José Antonio del Cañizo
ilustraciones de Damián Ortega

El Jefe del Cielo al fin se decidió a hablar:
—Tomad a cualquier hombre del montón y, ¡sacaos de la manga una vida emocionante y llena de acontecimientos!
Sir Alfred Hitchcock dijo:
—Un caballero inglés siempre acepta un desafío. Me comprometo a transformar la vida del más mediocre y aburrido de los hombres que pueblan la tierra en toda una aventura…
¡UNA VIDA DE PELÍCULA! ¿Queréis participar en la aventura, compañeros? —**añadió dirigiéndose a John Huston y a Luis Buñuel.**

José Antonio del Cañizo vive en Málaga, España. En sus obras combina la corriente realista con el estilo y los recursos de la literatura fantástica: "fantasía comprometida", dice él. Ha obtenido varios premios importantes y sus obras figuran en algunos de los principales catálogos internacionales de literatura infantil y juvenil.
Una vida de película ganó el primer premio del I Concurso literario A la Orilla del Viento.

Cuento negro para una negra noche
de Clayton Bess
ilustraciones de Manuel Ahumada

Este pequeño quiere saber cómo es el mal. Les voy a contar todo acerca del mal. Y también les voy a contar del bien. Es cosa del corazón. Es la gente y lo que la gente hace. Les voy a contar la historia de Maima Kiawú. Llegó en su negra noche, negra como ésta y trajó su mal a nuestra casa. Yo entonces era un niño y las cosas eran diferentes. Kataka era una aldea pequeñita y esta misma casa estaba rodeada de selva, porque el pueblo no había llegado hasta acá a juntarse con nosotros...

Clayton Bess nació en Estados Unidos; vivió en Liberia, en el África Occidental, durante tres años; actualmente radica en el sur de California.

para los grandes lectores

La guerra del Covent Garden
de Chris Kelly
ilustraciones de Antonio Helguera

Algo extraño se percibe en el ambiente. Un olor amargo
y siniestro. Un olor que presagia el cierre del mercado.
Por años las ratas del Jardín se han alimentado con las
sobras del mercado. Si el mercado cierra para siempre,
la Familia morirá de inanición.
Zim debe de descubrir la verdad.

*Chris Kelly es un prestigiado autor inglés. En la actualidad vive en
Inglaterra.*

para los grandes lectores

Encantacornio
de Berlie Doherty
ilustraciones de Luis Fernando Enríquez

**Y de pronto el mundo se iluminó para Laura. Vio el cielo
lleno de estrellas. Vio a la criatura, con el pelo blanco
plateado y un cuerno nácar entre sus ojos azul cielo.**
Y vio a los peludos hombres bestia que sonreían desde las
sombras.
—¡Móntalo! —le dijo la anciana mujer bestia a Laura—.
Encantacornio te necesita, Genteniña.
**El unicornio saltó la barda del jardín con la anciana
y con Laura sobre el lomo. La colina quedó serena y
dormida: Laura, los salvajes y el unicornio se habían ido.**

*Berlie Doherty es una autora inglesa muy reconocida. En la
actualidad reside en Sheffield, Inglaterra.*